或許傷心

從來都不會真正的結束

遺憾收納員

LOST
AND
FOUND

肆一

suncolor 三采文化

自序

遺憾的存在，讓我們更珍惜現在的擁有

有光就會有影子，這個世界是這樣運作的，而遺憾其實也是一樣。

「遺憾是人生的一部分。」這樣說，可能有種裝豁達的感覺，但現在的我是真的這麼想。人會長大，並不是因為可以活得越來越完美，而是終於可以接受了那些不足夠的存在，不再偏執地想要什麼都很好，於是得以與自己和解。就因為不強求一切都好，所以什麼都好了。

可是，偶爾總忍不住會想回頭望，遺憾是什麼呢？或許就是心上的一個破洞或是一塊缺角，默不出聲但震耳欲聾。但也可是，人生仍會繼續前進，我們都是這樣一路往前走，跌跌撞撞、小心翼翼。

偶然在網路上看到一段日本綜藝節目「拍一段影片給過去的自己」（過去の自分のへビデオレター）的影片，主角是一位七十六歲的秋元秀夫老先生，他錄了一段話給年輕時候的自己，影片一開始讓人發噱，但最末七十六歲的秀夫要二十四歲時的自己，替現在的自己轉告一句話給當時深愛的女孩，這一句在當時來不及轉告的話語，讓人紅了眼眶。來不及傳遞出去的隻字片語，最後成了一個心上的遺憾。

而這支影片，就是《遺憾收納員》的源頭。當時看完影片後，心中浮上了這一些念頭：「如果有機會填補遺憾，你願意做些什麼呢？」、「如果有一個地方可以把信件寄回到過去，完成當時來不及做的事，你想要寄什麼？」……這些念頭最後經過了一點時間，緩慢地收納成了這本書。一開始以為會很不好寫，因為角色多、結構也較繁複，可是寫著寫著，裡面的角色都各自長出了生命。

影片中，秋元秀夫老先生撐著傘在雪地裡吶喊著，雨傘替他擋去了雪水，但站在傘下的他過的是真實的人生。我們每個人也都是這樣。於是我在《遺憾收納員》裡寫下一段話：「遺憾就像是雨傘上的小破洞，遇上雨天便涔涔滴著水，不知不覺淋濕一身。將遺憾傳遞到過去並不是為了要改變什麼，而是為了填滿漏洞，遺憾收納員就像是個修傘的人，替每個人修補心裡的缺憾，至少日後下雨，可以不再濕透。」

這也是這本書想做到的事，希望至少當冷風鑽入心上的破洞時，不只是寒風刺骨，還可以有一點溫柔。在某些時候，我們的人生就可以因此繼續走下去。又或者是，我們之所以想要圓滿當時的遺憾，其實也並不是為了想要改變什麼，而只是希望當再想起一個人、一件事的時刻，不再總是傷心了。

這是我的第二本小說，仍在努力，仍在學習，仍在繼續。始終很謝謝支持我許久的你，希望你可以在這本書中看到我的進步；而那些初次認識我的你，很高興你願意給這本書一個機會。

最後要說的是，人生不會沒有遺憾，可是，當你一旦開始擁抱那些缺漏時，它們也會回過頭來擁抱著你。遺憾的存在，讓我們更珍惜現在擁有的東西。

我不相信世界上只有好事，但我深信，總會有好事發生。不求沒有遺憾的人生，只願人生不是只有遺憾。

希望這本書，可以讓你覺得世界仍是溫柔，像是被擁抱著。而你，往後還是會哭會笑，但永遠都能夠再相信自己一次。

輯1 便當

所謂的「遺憾收納員」
並不是收納物品的人，
而是替人們
幫忙保管遺憾的人。

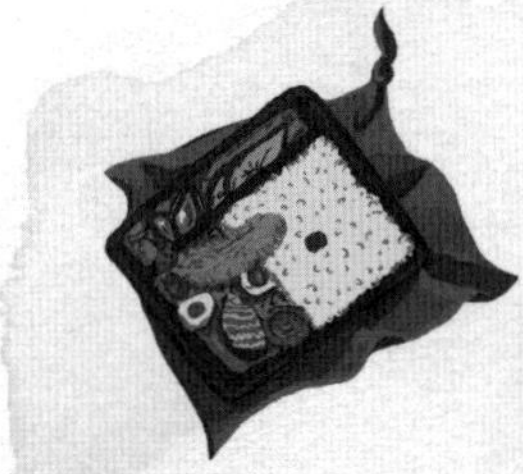

下午五點零八分

「這裡是『那裡』嗎？」身穿制服的少女遲疑地開口，胸前抱著一只手提紙袋。她伸長脖子往櫃檯內探著，一雙好奇的大眼骨碌碌地轉著。

「哪裡？」在櫃檯前身穿合身黑西裝、戴著白手套的年輕男子這樣反問，目測年約三十歲不到。少女看到櫃檯前一個小小的三角立牌上寫著——

遺憾招領中心・收納員：洪皓。

「就是那個傳說中可以把東西寄到過去的地方？」

「妳有東西要寄？」洪皓點了點頭這樣反問。

「嗯？」少女露出疑惑的表情。

「妳有東西要寄到過去，對吧？」洪皓看了一眼少女手上的紙袋說：「不然也不會走到這裡。」

「這個，我在捷運上撿到的。」少女這才意會過來，她點了點頭，連忙把書包放到櫃檯上並遞出紙袋中的信件。

裡頭總共有兩封信與一份小包裹，後者從形狀大小看來，裡頭裝的似乎是一本精裝書。

洪皓看到少女書包一角的吊飾，上面一個小名牌寫著名字：艾珉。

□

十分鐘前

在急速行駛的捷運列車上，三三兩兩的乘客零散坐落在車廂裡。由於不是尖峰時段的傍晚時分，因此人潮不多，座位沒有坐滿，難得有一種清爽感。

十七歲的艾珉坐在最後一節車廂裡，低頭滑著手機。其實她並不喜歡捷運，閉塞的空間與幾近凝結的空氣，還有惱人的低頻隆隆行車聲都令她感到不舒服，若非這是回家最快的方式，她才不會選擇乘坐。於是只要一搭上捷運她總立即掏出手機滑呀滑，不是真的離不開手機，而是想分散注意力。

艾珉正離校準備回家，她在今年六月從高三畢業，這個月就是大一的新鮮人，今天則是回母校辦理相關手續。前幾個月學測結束，她考得不錯，級分幾乎都落在高點，可以如願考上理想的大學，明天的開學日對艾珉而言，算得上是一份生日大禮。

今天是她的生日，已經滿十八歲了。

這幾天媽媽老說著：「珉珉就要變大人啦。」

「我才不要長大，長大又沒有什麼好處。」而她總是不甘願地回應。

「善導寺，右側開門。」車廂傳來廣播聲音，艾珉抬頭確認了站名，隨即又低頭沉浸在手機裡的世界。她的學校位在南港，而家住板橋，需要由東向西穿過整個台北市才能回到家。

「快訊！偶像團體 Super! 今日下午驚傳團長退團，歌迷哭喊無法接受！」邊滑手機、邊看著上頭的標題，艾珉忍不住嘟囔：這是什麼爛新聞啊。

由於善導寺並非大站，到站後上車的人只有零星幾個，當艾珉正慶幸自己還可以獨佔雙人座位時，立即有個人在她身旁右側的空位坐下。她頭部維持著同樣角度，視線稍稍往上瞟，確認車廂內還有其他空位，隨即再往右偷瞄，發現是位年紀約莫七十歲的老先生，由於頂光，灰色扁貝雷帽陰影遮住了他大半的臉。

雖然看起來氣質不錯，但不會是個變態吧？明明還有這麼多空位，幹嘛坐到我旁邊啊。艾珉暗自嘀咕，同時欠了欠身，試圖拉開兩個人的距離，繼續滑著手機。

「即時新聞！今天下午在台北市南港區向陽路口發生小客車對撞車禍，目前兩名傷者都被送往醫院。」

又是南港？怎麼感覺這裡常常有事故，艾珉心想著，同時點開音樂並將耳機聲音調大，試圖掩蓋轟轟的行車聲，以及旁人幾乎緊貼著自己的不快感。

此時手機上時間顯示著四點五十八分，還要再過十五分鐘才會抵達板橋。

「台北車站，轉乘淡水信義線，請在本站換車。」在音樂與音樂的空檔，傳來車廂的廣播聲，同時車上的人也開始往車門移動，準備下車。

台北車站是捷運最大的轉運點，不僅是兩條捷線的交會點，更連接台鐵、高鐵與百貨公司，終日人潮洶湧，還有她永遠都會迷路的地下街商場。

車門開啟後，人潮紛紛下車，艾珉發現坐在身旁的老先生也起身移動。太好了，他在這站下車。艾珉暗自慶幸著，眼角卻瞄到一抹黑影，定眼一看，是一只樸實的手提紙袋，老先生把他的東西忘在座位上了！

艾珉慌張地抬起頭，對向來車的車門也正好開啟，人潮湧出。她四處張望，終於在人海中隱約發現老先生的身影，於是抓起了紙袋趕在車門關上前衝了出去。

「嘟嘟嘟——嘟嘟嘟——」身後的捷運車門關上，艾珉喘著氣，但卻再也遍尋不著老先生的身影。剛剛不過是偷瞄了一下他的長相，根本就不認得他的樣子，只記得他戴了一頂扁貝雷帽而已。此時艾珉才發現自己太欠思考。

只好拿去失物招領中心了，若是重要物品，老先生應該也很焦急吧。

艾珉搭著手扶梯從地下二樓上升到地下一樓，「嗶嗶——」刷過悠遊卡出站後，迎面而來的是如同夜市般熱鬧喧嘩的人潮，與通往四面八方的商店街及指示標誌，眼花撩亂。雖然商店街兩旁林立著各式各樣的商店與色彩鮮艷的燈箱，但地下街獨有的閉塞感還是無法驅散，不管再多照明都掩蓋不掉陣陣幽暗。

「抱歉，借過。」身後傳來一個聲音，回頭一看是位穿著淺藍色衣服的孕婦，看起來年約四十。

「對不起。」艾珉此時才發現自己擋住通道，連忙站到旁邊。

「這裡是迷宮。」艾珉嘆了口氣，試圖在茫茫的指示標誌中尋找指引，好不容易終於找到了「招領中心」的字樣，循著指示往箭頭的方向走去。她又嘆了一口氣：「要是我從此在這裡走不出去，也是再自然不過的事。」

雖然未經允許翻閱別人東西是不禮貌的行為，但由於手提袋沒有封口，艾珉一眼就能看到裡頭的物品，是三封信。嚴格來說，其中一個較大的都像是小包裹了。

「啊，要是裡面是違禁品怎麼辦？常常看到新聞有類似的報導，什麼幫朋友帶東西，結果竟然是毒品。還是檢查一下比較安心，我這麼做是合理的，是合理的。」抵擋不住好奇心，艾珉這樣說服自己。

她拿出三封信，發現上頭收件人位置只有寫著姓氏，收件地址則是一串數字，而寄件人都是同一個人，應該就是剛剛那位老先生吧。

「也太奇怪了，沒有收件地址怎麼寄？」

艾珉拿起其中一封信，把信封轉橫，默念著那串數字：「19990903160000」，這也不是電話號碼，反倒比較像是密碼或是日期時間：「為什麼要寫這串數字啊？」

她繼續往前走邊嘀咕著，密密麻麻的指示標誌搞得她頭昏腦脹，七彎八拐的地下街也讓她不知自己身在何處，艾珉開始後悔起自己幹嘛多事？當停下腳步時，發現自己正站在一個窗台前面。

「您好，這裡是遺憾招領中心。」耳邊突然傳來一道溫暖明亮的男人嗓音。

艾珉猛然回神，發現一位年輕男子站在櫃檯後方，正向她打招呼。

□

「天啊！原來真有這樣的地方啊……」艾珉喃喃自語。

此時她才想起了之前聽過的都市傳說，在台北地下街一角，有一處可以將信件寄回過往給「再也見不到的人」、並且也可以收到回信的地方，名字好像是……遺憾招領中心，對，就是「遺憾招領中心」。應該是這裡吧？

據說，遺憾招領中心並不是專門收納人們遺失物品的地方，而是收容「過往遺憾」的場所。也因此並不是所有人都能夠看見招領中心的存在，而是要懷抱著濃烈遺憾的人才可以找到。

艾珉環顧四周，意識到這裡氣氛很奇特，明明是在車站的商場通道裡，但卻有股與世隔絕的靜謐感，空氣彷彿也不流動了，像是獨立存在的空間似的。人來人往的地下街，竟沒有人多看這裡一眼，就連自己經過這帶好幾次，從來都沒發現過這裡。

她往後退了一步，仰起頭看了看櫃檯的上方，並沒有像是招牌的霓虹燈，只有一個圓形的時鐘，上面時刻標示著五點零八分。

「這麼不顯眼，難怪從來都沒有發現過。」艾珉自問自答。

「這裡，只有『它』願意讓你看到的人才能看見。」彷彿像是在解答她的疑惑似的，洪皓幽幽地說。

「它？『它』是誰？」艾珉身體往前傾，櫃檯上方的燈照亮了她的臉龐，此刻她才發現洪皓後方是一條長長的走道，兩側各是一整面的置物櫃，白色的金屬材質、一塵不染，冰冷的色調不禁令人感到魔幻：「哇！也太像科幻片的場景了吧。」

「不，妳誤會了。不是妳找到這裡，而是這裡願意讓妳看到。是這裡挑選了妳。」不理會為什麼小姐的連珠炮提問，洪皓逕自說著。

「聽起來很像騙局，你不會是詐騙集團吧？」艾珉說，抱緊著手中的紙袋：「還有『把信件寄回過去』，聽起來未免也太不合邏輯，正常人都不會相信吧！」

「只有相信的人才看得到這裡。」

洪皓篤定的語氣讓她怔了一下。

「妳也是相信有遺憾招領中心存在的吧。」

艾珉沒有回答。與其說是相信，倒不如說，她一直希望有這樣的存在。希望有一個地方可以完成人們的遺憾——她自己也有個無法完成的遺憾。

「妳有信件要寄到過去，對吧？不然也不會走到這裡。」洪皓反問，雖然從沒有像艾珉這種搞不清狀況的客人來過，但能夠發現這裡的人，確實都是有東西要寄託回過去的，這點錯不了。是這裡挑選了要被誰所看見。

「這個，我在捷運上撿到的。」艾珉遞出信件。

平常洪皓不會特別注意信件上的資訊，因為能來到這裡的人，基本上都研究過寄件規則，根本不用他的特別提醒。不過眼下狀況特殊，因此他特別拿起信封端詳，上頭的收件人與寄送地址欄上面分別寫著：

墜先生

1999090312000000

洪先生

1999090316000000

黎先生

1999090311000000

洪皓疑惑著，從來都沒有一口氣要寄三封信件的人。

「後面那串數字就是日期，對吧？」艾珉這樣說。

「嗯。」洪皓點了頭，拿起其中一封信說道：「墜?很少見的姓氏，19990903-120000意思就是一九九九年九月三日中午十二點零分零秒……」他語氣突然和緩下來若有所思，隨即才又說：「九月三日剛好就是今天，好巧。」

要將信件寄回到過去，送件地要填上的並不是地址，而是時間。想要送回去的那一天的日期，也是跟對方最後見面的那一天。收件人可以只寫姓氏，甚至是暱稱都可以，但寄件人一定要全名，如此一來，回信的時候才能夠收得到。

「也剛好是我的生日。」艾珉的眼神略帶笑意，依舊骨碌碌地轉著。

洪皓狐疑地看了她一眼，說了聲：「生日快樂。」

「謝謝。」艾珉回以燦笑。

洪皓低頭從抽屜裡拿出了筆，遞給她：「請在信件背面寫上自己的名字。」

「為什麼？」

「若寄件人沒有來領取回信的話，信件就歸妳。」

「會有這樣的情況嗎？好不容易才能找到這裡，都特地來寄信了……」

「人心是很善變的，現在答應的事，有可能下一秒就會後悔了。」洪皓微微地笑著：「不過最多的狀況，其實是害怕收到回信。」

「害怕？」

「對，通常會來寄信回過去的人，都是心中存有想要彌補的遺憾，但因為無法預期收件人會寫些什麼，所以也出現過讓寄件人傷心的回覆。」

「這也太恐怖了吧，未知的回信……根本像是對暗戀的人告白一樣啊。」艾珉聳了聳肩，在信件背面寫上自己的名字：「咦？筆沒墨水啦，換一支。」

「那是隱形墨水。規定不可以破壞寄件人的信件。」

「對了，那可以告訴對方下一期樂透號碼嗎？」艾珉突然提起頭來，眼睛閃爍著光芒：「這樣就發財了。」

「不行，遺憾招領中心是建立在不會改變未來的前提上，所以無法做出會改變事實的事情，也不可以自己說明是來自未來。」洪皓說明道：「再說，不會有人這麼做的。」會來這裡的人，都不是為了想要改變什麼，而只是為了完成遺憾而已。想著讓對方發財、想著要讓對方改變情況，都無法讓信投遞出去。

「噢，」艾珉點點頭，「寫好了。」並將寫好名字的信件遞出。

接過信件後，洪皓又補充：「這樣就可以了，信件會保留三個月，時間內回來確認即可……」

「那個，抱歉……」

艾珉來不及再次提問，突然有聲音插了進來，是位年約三十身穿套裝的女子。是今天的第二位客人。

「很抱歉打斷你們，但我擔心時間來不及，我也有東西要寄……」

艾珉識相地閃到櫃檯一側，偷偷聽他們的對話。

「您好，這裡是遺憾招領中心。」跟剛剛一樣的台詞。

「你好，我叫黎傢緹，我是來寄東西的。我在網路上看到招領中心的資訊，這裡可以把東西寄回到過去，對嗎？」她的語氣有點遲疑。

「是的。妳不用特別跟我說妳的名字沒關係，可以保有隱私。」

「噢，好的。我想要寄這個。」黎傢緹從Longchamp肩背包裡拿出一個包裹，肩背包旁的哆啦A夢吊飾閃著金屬光芒。「請幫我平放，不要直立。我仔細包裝好了，也在上面貼上了名字時間，應該不會有問題，這裡頭是……」

「沒關係，也不用跟我說內容物是什麼。」洪皓小心地接過包裹，沈甸甸地，還有點溫熱：「是妳本人要寄的嗎？」因為艾珉的關係，他多問了一句。

「對，」黎傢緹微微點點頭，接著問：「請問需要收取費用嗎？服務費什麼的？」並作勢要拿出錢包。
「奇蹟是無法計價的。」
遺憾招領中心一週只開張一天，只在「逢魔之時」營業。
每天的凌晨零點零分是日與日的交替，而十七點至十九點的這段時間則是日與夜相遇的片刻，就是所謂的逢魔之時，也可以說是一日的轉角，天即將由亮轉黑；而星期三則是一週之內的中點，也是一個星期的轉角，在兩個時間轉角處這樣的時刻，會出現奇蹟。
「那麼，何時可以收到回信呢？我的意思是，多久回來拿比較好？」
「不管是否有回信，都是當天就會知道。」
因為寄回到過去的時間點，規定只能是兩人最後見到面的那一天，所以若當天沒有即刻回覆的話，之後大概也就不會收到回覆了。若是這樣的話，當天營業的最後十分鐘就會原信退回。不過這句話他沒有說出來。
「若有妳的信，名單上會出現，屆時妳只要報出名字即可。」洪皓指了指櫃檯下，艾珉探頭一看，發現是一面鑲在桌面的電腦螢幕：信件進來，電腦會發出聲響，並且在上面顯示名字。

「嘩！太高科技了，竟然還電腦化！」在一旁的艾珉不禁發出驚嘆。

「雖然信件沒有滿坑滿谷，但還是需要建檔才能夠搜尋。」洪皓細心說明，又補充：「無論對方是否收到信，我們會保留原信件三個月的時間。」

「所以……無法保證對方一定可以收到信件？」黎傢緹聽了神情明顯有些失落。

「關於這點，決定權不在我，而是在妳。」

「我？」

「對，要看妳想將信件寄往過去的意願有多強烈，或與對方羈絆有多深而決定。」

或許能夠說，遺憾就是將信件傳遞回過去的力量吧，越是強烈的遺憾，就越能夠把信件傳遞到過去。

「我懂了，謝謝。」黎傢緹勉強擠出一抹微笑道謝。「我去旁邊的椅子上等，反正只有兩個小時而已。」語畢便移動到座椅上。

招領中心前方不遠處，有一排六張藍色的塑膠椅，底部用簡單的鐵棍將它們焊接起來，是那種車站內常見供乘客休憩的椅子。

洪皓轉身邁向身後的走道，將四封信件一一放到置物櫃裡，空氣中傳來輕微的喀喀聲響。擺好信件後回過身，發現艾珉還在。

「還有什麼事嗎？」

「我有個問題……」艾珉遲疑了一下說：「我也可以寫信到過去嗎？」

她的提問讓洪皓愣了一下：「當然可以，妳能夠找到這裡，就表示『它』願意讓妳發現。」剛剛一直誤以為，艾珉只是個陰錯陽差撿到信的代寄件人而已，卻忽略了如果她能夠找到遺憾招領中心，就表示她也可能有自己的遺憾想完成。只是，眼前的艾珉約莫才是高中生的年紀，會有什麼無法彌補的遺憾？

「妳要寫信給誰呢？」

「我想錄一段自己的影片給過世的父親，讓他看看我現在的樣子。」艾珉匆忙從書包裡拿出手機：「可以把手機送過去嗎？」

「可以是可以，物品並沒有限制。只是妳想要送回到多久以前？雖然寄送過去的物件會原封不動地送回，不至於造成什麼影響，但若是當時智慧型手機還沒有出現的話，恐怕妳父親也不會使用。」

「十八年前。我不知道當時有沒有智慧型手機，但沒關係，我可以寫好使用方法，所以沒問題。」艾珉熱切地望著洪皓。

「十八年前？妳現在幾歲呢？」

「十八歲，今天我剛滿十八了。」艾珉口氣急促。

「這樣問或許很失禮，但請問妳跟妳父親有見過面嗎？」

「沒有，他在我出生之前就過世了。」

「如果是這樣的話，很抱歉，不行。」

「為什麼？」

「對象必須是見過面的人才行。」而且也只能寄回最後見到面的那天，這句話洪皓沒有說出來。

「差一點也不行？這樣未免太不近人情了。」艾珉一臉失望。

「不是時間的關係。」洪皓嘆了口氣解釋道：「這跟一般寄信不同，必須是見過面的人才行，這是首要條件。」

普通的郵寄只要知道地址姓名就可以把信件寄給對方，即使不認識也沒關係。一般的郵寄只是一種單純的物件寄送而已，與情感並沒有關聯；可是這裡所遞送的是遺憾，是情感的連結，所以才並不是誰都可以發現這裡。

替別人寄送物品至過去這麼多年，倒是第一次遇到想要傳遞東西給未見過的人。果然仍只是個代寄人而已，洪皓思忖著。

「有看過相片也不行嗎？」

「不行。」洪皓搖搖頭，表示遺憾。「說起來或許很不可思議，但人跟人之間的頻率必須是要透過真實接觸才能夠接通，就像是開關。即使只有一面之緣也沒關係，甚至是見到最後一面的人都可以。」

雖然對象是父親，如此親近的家人，但不行就是不行，即使他想幫忙也沒有辦法。洪皓頓了頓，補充道：「妳或許可以這樣想，『真實接觸』是信件要寄往過去的郵票，必須擁有郵票才能寄信。」

「太不公平了……」洪皓的話讓艾珉神情黯淡滿是不甘心，跟之前的笑臉截然不同，她小聲地說著：「爸爸一定很想看到我現在平安健康的樣子，他一定比誰都遺憾……如果可以讓他看看我就好了。」像是在說話給自己聽似的。

「那我也去逛逛好了，等下再回來。」艾珉抬起了頭，打起精神重露笑臉，她轉頭看了看坐在角落的黎傢緹。但才走沒幾步，又轉身喊著：「這裡像迷宮一樣，我要怎麼找到這裡呢？」

「不，妳誤會了。不是妳找到這裡，而是這裡願意讓妳看到……」洪皓又重複了一次剛剛說過的話。

「……是這裡挑選了妳。」艾珉自動把最後一句話補上，淘氣地做了個鬼臉後消失在人群裡。

叮噹——電腦發出聲響，是信件通知。

回信速度也太快了，洪皓心想。不過並不一定是給黎傢緹的回信，有可能是艾珉所拿來的信件回覆。

「回信通知」螢幕上只秀出這幾個字，沒有更多的訊息。基於隱私權保護，所以系統不會直接秀出收件人的姓名，因此並不會知道是誰的回信，也規定不能擅自搜尋，除非由寄件人自己報上名字。

不過剛剛她脫口而出了名字，可以直接搜尋。

「印象中是姓『黎』吧，應該是黎明的黎……」洪皓在鍵盤上輸入了姓氏。除非剛好有兩封以上的同姓氏收件者，才會需要知道全名。

黎傢緹．〇三九二。螢幕上立即跳出了這個名字，後面則是置物櫃的編號。果然是她的回信沒錯。

「所謂的『遺憾收納員』，並不是收納物品的人，而是替人們幫忙保管遺憾的人，在物歸原主之前，好好地保存著。是很溫柔的工作喔。」洪皓突然想起小時候父親曾經跟他說過的這句話，突然眼眶一熱。

似乎感受到了洪皓的注視，黎傢緹從座位上抬起頭望向招領中心，櫃檯內明亮閃耀的樣子，對照起外面的隱約幽暗，像是一扇向外開啟的窗戶。

洪皓對她點了點頭，趁低頭時暗自抹去眼角淚水。黎傢緹匆忙起身奔向櫃檯。

「有回信了嗎？是我的嗎？」

「是的，請稍等。」洪皓轉身走向身後兩側都是置物櫃的長廊。

洪皓以幾乎無聲的步伐前進，悠緩從容，像是電影裡刻意播慢的動作畫面，最後他停在某個置物櫃前，接著在置物櫃上輸入一串密碼，跟著門就輕輕地彈開了。他伸長戴著潔白手套的雙手往裡頭一探，當收回手臂時，手上已經多了一件包裹。洪皓用雙手將包裹捧在胸前，整個過程幾乎是一項神聖的儀式。

「您的信件回覆了。」

黎傢緹急忙接過包裹，匆促地打開。

洪皓看見信封裡，原來是用橘紅色圓點棉布繞圈包裹著的盒子，棉布的圓點圖案像是一圈圈的天使光暈；打開後，露出了一個舊式不鏽鋼便當盒，外型極為簡樸，不像是女生會使用的樣式。之前他接過時便當還溫熱著，應該是做好不久帶過來的。

此時便當盒裡面已經空了，也被清洗過，還附上一張小紙條。黎傢緹手指微微顫抖拿起紙條，眼淚隨即克制不住湧了出來，朦朧之中，眼前似乎出現想念已久的身影。

雨夜中，年僅十七歲的黎傢緹撐著傘站在一棟房子前面。

她抬頭仰望這棟只有四層樓的老舊公寓，因為長期雨淋日照而褪色的鐵窗，斑剝的外牆小磁磚東缺一塊西缺一角，灰色水泥牆底裸露而出，一旁則攀爬著錯亂的電線，這是她從出生到現在所居住的房子，她和爺爺就住在二樓。

「這棟公寓跟妳爸爸的年紀一樣大呢。」每次講到這棟房子，爺爺黎典陞總是一臉笑呵呵，彷彿是在說一則有趣的笑話。只是自從有意識以來，黎傢緹沒有一次笑得出來。

「誰想住在這棟破舊老公寓裡啊！」她叛逆的青春期是從這棟公寓開始。

「傢緹，所以妳要認真讀書，以後賺大錢，我們就能換好房子啦，爺爺還等著享清福呢。」「妳知道妳名字裡的『緹』是代表什麼嗎？是『橘紅色』。爺爺希望妳的未來一片光明，能有太陽照耀。」

這兩句話是一直以來爺爺鼓勵她的話語。

爺爺年紀已經年屆八十歲，他在約莫三十歲時結了婚，並在同年生下了父親，以那個年代的人來說算是晚婚，而這間公寓就是當時慶祝新婚所買的。只是好景不長，在父親八歲的時候，奶奶就因病過世。原本以為的和樂家庭很快地走向毀壞。

單親照顧孩子本來就比較辛苦，當時鄰居紛紛都勸著爺爺再娶，不僅自己有個伴、孩子也有個媽媽。然而當時父親已經不是個年幼的孩童了，顧慮到父親的心情，於是爺爺決意不再娶，專心拉拔他長大。

只是談何容易。爺爺是個遷台老兵，並沒有後盾的支持，為了想要補償孩子沒有媽媽的苦，終日拚命掙錢，這是他表達愛的方式；也由於長年的生活方式使然，教育孩子則相信「棍棒底下出孝子」，反而使得父子關係越來越疏遠，於是父親開始對外尋求朋友的認同。爺爺指望著唯一的兒子，而父親則是只在他的眼中看到失望，越是用力的抓著，最後兩敗俱傷。

父親勉強讀完國中後，便沒有再升學，爺爺原本仍懷抱著期待，要是當完兵受點訓練，兒子會懂點世事，不再那麼叛逆，於是早早讓父親去服兵役。但希望終究還是落空了，父親在軍中交了損友，行徑更是變本加厲，退伍後依舊不務正業，終日遊手好閒，爺爺叨念他幾句，就拳腳滿天飛。

直到父親近四十歲時，當時剛好街坊鄰居有許多人娶了外籍新娘，爺爺心想一直這樣下去也不是辦法，於是他用僅存的最後積蓄，替父親討了門媳婦。爺爺再次心想，或許結了婚有了家庭、小孩後，可以培養出兒子的責任感。

孩子是有了，母親在婚後一年立即懷了自己，可是情況並沒有好轉。父親仍是遊手好閒，家裡不過是多一個讓他使喚的對象罷了，而且還多了一口飯要餵養，經濟壓力比以前更窘迫了。

黎傢緹對於小時候的印象，就是父母親無止盡地爭吵。每當這種時刻唯一可以依靠的只有爺爺，她會把頭緊緊埋在爺爺身上，而爺爺粗糙而佈滿紋路的厚實手掌總會緊緊壓住她的雙耳。這也是她對童年唯一的溫暖印象。

三歲的某天，母親突然消失了。父親在屋內吼叫，此回爺爺的手掌再也擋不住那聲音，餐桌、碗盤重重地摔到地板上，感受得到比往常更狂亂的氣氛。於是爺爺趕緊帶她出門，再回家時，父親也不見了。一直到上小學之後，才從爺爺口中得知，她的母親一聲不響回去了越南，音訊全無，而父親當晚因為飲酒過量出了意外過世。

她對父母的印象其實很薄弱，所以並不覺得悲傷，倒是爺爺會邊摸著她的頭髮邊老淚縱橫說：「我可憐的孫女，沒事的、沒事的。」

從那之後，這個家只剩下爺孫兩個人相依為命。

爺爺已經年邁，無法出門工作，就連拾荒都有問題，只能靠著救濟金生活，日子過得清寒，卻也平安無事。或許是因為補償心態，爺爺對黎傢緹加倍教導，希望她能夠用功上進，有份安穩的好工作、好家庭，不要再過苦日子。

因此，每次當他說著「爺爺還等著妳賺錢讓我享清福」這樣的話時，黎傢緹總是忍不住鼻頭一酸。

爺爺一輩子都沒有過上好日子，但他唯一的願望是希望她能享受好日子。當初對父親所欠缺的愛，爺爺都給了她。

此刻，黎傢緹正在站在家門口，望著二樓窗戶發出像是照耀這棟殘破公寓的黃光，每次回家她總會在巷口仰望這道光芒。大雨滂沱，雨水沿著傘花不斷落下，濺在她書包與鞋子上，她右手拿著傘柄、左手緊緊握著休學離校手續單，不發一語。

黎傢緹深深吸了一口氣，踏上往二樓的階梯。

「爺爺，我回來了。」一推開門，黎傢緹爽朗地喊了一聲，並打開客廳的大燈，這是她每天回家的第一件事。因為想省電的關係，家裡常常只開著立燈，然而暈黃立燈雖有氣氛，但並不足以充分照明。

燈光一亮，立時映出屋內的簡陋。

黎傢緹念過爺爺幾次，不需要省這點錢，萬一看不清楚發生危險更糟糕，但黎典陸總說：「沒事、沒事。」依舊自顧自。他什麼都省，唯一捨得的是她所有學習支出，舉凡學費、補習費、用品費等，從來都沒有遲給過，黎傢緹時常納悶這些錢是怎麼來的？

「傢緹妳回來啦。」黎典陸正把一鍋熱騰騰的湯端上餐桌。說是餐桌，但其實只是一張方形可以摺疊起來的簡陋桌子，這是爺爺從巷口撿回來的家具。家裡頭許多東西都是這樣來的。

這個家並不是創造出來的，而是拼拼湊湊出來的。黎傢緹常常這麼想。

「爺爺讓我來。」黎傢緹連忙迎上前去，接過熱滾滾的湯。黎典陸雖然年邁，但身體還算硬朗，唯有耳朵有輕微的重聽。

今天的晚餐是：碎燉肉、炒地瓜葉，端在手上的則是菜頭湯。通常碎燉肉會一次滷上一大鍋，這樣接下來幾天只要熱過就可以再吃，這是這些年汰換下來的生存法則，青菜則是在頂樓自己所種植的。

大多時候，早晚餐多是由爺爺準備，這是他的堅持，希望黎傢緹將時間都用在課業上頭，別浪費時間做無謂的事情，只有放假時偶爾才會由她做菜。不過雖然說是做菜，但其實不過都是清炒或水煮而已，燉肉也僅僅是加入醬油。

在這樣寒傖的日子裡，黎傢緹唯一的寄託是日本卡通小叮噹。

九〇年代，日本漫畫與卡通風靡台灣，雖然家裡沒有錄放影機，但國小時偶然在電視上看到播出的《大雄的恐龍》之後，她立即喜歡上了有著各種神奇道具的小叮噹。總是期盼著奇蹟可以拯救自己的大雄，不就是自己的翻版嗎？

隔天放學時，黎傢緹特地到學校對面的文具店，用僅有的零用錢買了一個小叮噹吊飾掛在書包上。讀書時，她會把小叮噹擺到桌上，每當心情不好就對著它的笑臉說話。小叮噹是她兒時的玩伴。

「趁飯菜還熱著，趕緊來吃飯吧。」黎典陞在餐桌邊坐下，一邊問著：「今天在學校順利嗎？」

「才準備要開學，沒有什麼事，只是返校日拿了一些資料回來而已。」黎傢緹心虛地應和，心臟劇烈跳動著。

「什麼時候開學呢？」

「九月四日，再過一週就開學了。」

「這麼快啊，暑假一下就結束了，真是年紀越大時間過得越快。」黎典陞呵呵地笑了出來：「學費的單子記得給我，別忘了。」

「那個……」說到學費，黎傢緹遲疑了一下：「學費的部分……」

「不用擔心學費，妳只管把書讀好，爺爺會處理，放心、放心，沒事的。」不等黎傢緹說完，黎典陞開口打斷了話。

「可是……前晚我有聽到陳伯伯上門追討欠他的錢……」黎傢緹說話吞吞吐吐，眼睛不敢直視黎典陞。

「爺爺是怎麼教妳的？偷聽別人說話是不禮貌的行為。」黎典陞放下手中的碗，直直盯著她看。

「對不起，但……」

「放心，沒事的。陳伯伯是自己人，不用擔心、不用擔心。學費爺爺早就準備好了。妳只管專心讀書，聽到沒？爺爺還等著享清福呢。」黎典陞又呵呵笑了起來。

「嗯，好。」黎傢緹點了點頭，悶著開始扒飯。

前晚的對話她聽得一清二楚，絕非爺爺說的沒事，即使有了救濟金與就學補助，仍是入不敷出，到了高三補習費更只會加重而已。何況黎傢緹沒說出口的還有林伯伯、王阿姨等人，有些是老鄰居、有些是遠親，但大家過得如何，黎傢緹心裡都明白，從小她學會了察言觀色。沒事、沒事，其實就是有事，如同父母消失的那天一樣。

爺爺還等著享清福呢。想起這句話，黎傢緹鼻頭又是一酸。

吃完晚餐後，黎傢緹回到房裡讀書，進房前，她把註冊通知單擺在桌上，裡頭夾雜著休學離校手續單。她已經填好資料，只等著監護人簽章。

照慣例，她把小叮噹擺在書桌上，假裝準備先預習新學期的內容，黎傢緹刻意不闔上房門，偷偷注意外面的動靜。

不一會兒，客廳就傳來翻閱紙張的窸窣聲音，幾秒鐘的安靜之後，匆促的腳步聲往她的房裡逼近。

「傢緹，」黎典陞先敲了房門後推開，手上拿著的正是休學離校手續單：「這是什麼？」語氣聽不出真實的情緒。

「爺爺，我想先休學一年去工作，我十七歲了，已經長大可以打工了。先工作一年再復學。」像是加強語氣一樣，她再次強調：「一年就好，我就會再回去讀書。」

「爺爺不是說不要擔心錢的事嗎？」

「但……」

「沒事的！」同樣一句話，但此刻黎典陸卻不若往常柔和。

黎傢緹被突如其來的吼叫嚇了一跳，她從沒看過爺爺發這麼大的脾氣。

「妳準備要升高三了，是很重要的一年，只管專心讀書就好。其餘的事爺爺來煩惱就好！」

「就是因為是很重要的一年，所以更該在安心的狀態上學，不是嗎？」

「爺爺說過妳不用擔心錢的事！」

「但我也想讓爺爺過好一點的日子啊。」鼓起勇氣，黎傢緹說出了這句在心中排練過好幾次的話。她不是為了自己休學，是為了爺爺。

「妳讓爺爺最好享清福的方法，就是把書讀好、上好學校、找到一份好工作，然後再找到一個好人家結婚生子。這才是我的願望。」

「這些事都不急，都還有時間……」

「什麼不急，爺爺還有多少時間可以照顧妳？」黎典陞低吼了出來。

「就是因為這樣，我才想讓爺爺偶爾也能吃點好吃的。」黎典陞的話逼出黎傢緹的眼淚，她幾乎是吼了出來：「我知道爺爺很喜歡吃海鮮，但海鮮太貴，根本捨不得買。就算是偶爾有親戚送，爺爺也都說我得補充營養，您自己一口都沒碰。」

黎傢緹的話讓老人眼眶泛紅，沉默了下來。

好半晌後，他終於才又開了口：「休學的事沒得商量。」伸手把休學離校手續單撕碎，轉身離開。黎傢緹坐在書桌前不斷地落下淚來。

◻

接下來的一週，黎傢緹都跟爺爺冷戰。這也是她印象中冷戰最久的一次。

今年的夏天多雨，與往年的酷暑不同，這週以來已經連下了好幾天的陰雨，路面幾乎沒有一天是乾的。人都要發霉了。今天意外地沒下雨，黎傢緹一早就準備出門去學校大掃除，她覺得自己很幸運。今天也是暑假的最後一天、開學前一天。經過客廳時，黎傢緹注意到餐桌上頭壓著幾張單據，靠近一看才發現是學費的繳費證明。

爺爺已經繳費了。黎傢緹盯著上面的數字發愣了好一陣子。經過一週的沉澱，她的心情也比較和緩，稱不上真的可以接受爺爺的想法，但不能否認爺爺對她的愛。

「晚上再跟爺爺好好道歉。」黎傢緹把收據收進書包裡推門出去。

距離家裡最近的不是捷運，而是公車站，但步行也需要十分鐘的路程，若遇到下雨天，走到站牌時鞋子都已經濕透。在交通便利的台北，這裡幾乎可以說是荒野。

今天是名副其實的打掃日，全校灰撲撲的、塵絮飛揚，但有種煥然一新的氣氛。

「傢緹，妳有聽說嗎？」

「聽說什麼？」黎傢緹正拿著掃把清理走廊，由上至下，這樣才不會剛剛掃好就立即被踩髒。

「小叮噹改名叫『哆啦A夢』了。」

「哆啦A夢……」黎傢緹重複這四個字，原本熟悉的小叮噹突然變得陌生無比。

「據說是用日文名字翻譯過來，我也是今天才知道這件事。」

「好不習慣喔。」

「就是說，根本改不過來。」

「啊，下雨了。」黎傢緹望向天空，才驚覺自己今天沒帶傘。雖然上午太陽露了臉，但到了午後又下起了陣雨，時大時小。

約莫到了五點半後，黎傢緹從學校離開，她計算好時間，搭車回家再加上走路大概要一個小時，爺爺都在六點半開始準備晚餐，剛好可以幫忙。

或許是因為陰雨的關係，路上比往常擁擠，多塞了二十分幾鐘才到站。在公車即將靠站時，透過朦朧的窗戶，黎傢緹看見窗外馬路上有警車特有的紅藍燈不斷閃爍著，天色漸暗，在沾滿雨滴的玻璃上渲染出一圈圈的光暈，還隱約看到疑似拉出了封鎖線，「原來是發生了車禍。」這解答了塞車的原因。

由於忘了帶傘出門，黎傢緹計算著有騎樓的路線，準備一路躲躲閃閃避雨回去。到巷口時，她照往常抬頭望了公寓的二樓，卻發現沒有熟悉的黃光照耀：「爺爺又不開燈了。」她嘀咕著，快步奔上公寓。

「爺爺，我回來了。」推開家門，屋內是暗的，一盞燈都沒點，爺爺並不在家裡。「難道是跟鄰居聊到忘我了？」這種狀況並不是沒有前例。爺爺每天的固定行程就是七點吃早餐、十二點午餐，到了晚上七點半則是晚餐，其餘時間都是在跟鄰居串門子中度過，偶爾也有太盡興而忘記時間的狀況。這些鄰居參與了爺爺的大半生，也是少數還可以陪他話當年的人。

黎傢緹擺好書包，熟稔地從冰箱裡拿出昨晚還沒吃完的燉肉加熱，再拿出剩下四分之一的高麗菜清炒，湯則是蛋花湯，大功告成。等到七點半，爺爺卻仍沒有回來。黎傢緹開始焦急了起來，趕緊出門到爺爺常會去串門的鄰居家詢問。

「陳伯伯，請問爺爺在您家嗎？」陳鳴是住在三樓的老鄰居，年約七十，不僅是最常接濟黎家的人，也是從小看著黎傢緹長大的長輩，幾乎算是她的第二個爺爺。

「哎啊，還沒回家嗎？」陳鳴用極其標準的國語這樣回。

「爺爺有跟您說要出門？」

「他上午有來找我串門子，在煩惱妳說要休學的事哪，傢緹呀，好好念完書，你爺爺他沒有讀什麼書，你爸爸也是，所以才會受苦啊……」

陳鳴的話讓黎傢緹脹紅了臉：「那下午呢？下午有來嗎？」

「下午啊，有、有、有，說是他下好決定了，但也不知道是什麼決定，但滿臉笑容吶，看起來心情很好。聊得正開心，大概五點多的時候，他就說要去車站接妳，說是妳忘了帶傘。」

黎傢緹想起昨晚回家晾在門口的傘，爺爺一定發現了。

「怎麼，沒接到妳嗎？」陳鳴又說。

黎傢緹搖了搖頭，此時耳邊突然傳來微弱的電話鈴聲，是二樓傳上來的。

「一定是爺爺打電話回來了。」她連忙下樓接電話。

「喂？」

「請問是黎傢緹嗎？這裡是南港分局，妳爺爺出了車禍，正在聯合醫院裡，請妳趕快過來。」

嘟——黎傢緹的腦中一片空白。

趕到醫院沒多久，黎典陞就過世了，沒來得及說上一句話，黎傢緹只能趴在病床前不斷地哭泣。警察說，因為天雨加上視線不好，一輛小客車失速打滑撞上了店家，黎典陞不巧在路旁遭受波及。

喪禮在老鄰居協助下，簡單而隆重地完成。遺像上黎典陞怡然含笑，比現在年輕了許多，這是十幾年前換身分證時拍的相片，也是他最後一次照相。

「傢緹，妳要節哀順變。」陳鳴拍拍她的肩膀，安慰著。黎傢緹只是點點頭示意，面無表情。比起悲傷，接踵而來的是經濟壓力。因為事故，黎傢緹獲得了一筆理賠金，肇事者方據說家境還不錯，還額外承擔了所有的喪禮費。不過也就因為這一筆錢，她才曉得爺爺這些年在外頭借貸了不少，償還後也所剩無幾。

由於原本就沒什麼親人，且多半不在台北，因此陳鳴在徵求黎傢緹的同意後，自願當她的監護人。一來是他們本來就熟識，二來是剛好住樓上樓下，她可以不用搬家、不用更換學校等，法院在基於黎傢緹的意願與變動最小的考量下同意了。

不過，在開學沒多久後，黎傢緹又重新開始考慮起休學一事。她沒有放棄升學，但同時也明白自己就算能夠勉強負擔起高三所有開支，也無法支付大學學費，更不可能要求陳伯伯負擔。不如索性現在就休學，先工作累積一些存款後再說。

辦完喪事後上課的第一天，黎傢緹到了註冊課務組準備領取休學離校手續單。在行政教室門口時，恰巧遇到了班導師王葦茹。進入高中以來，她一直是黎傢緹的班導師，因此很了解黎家的狀況，才三十歲的她是個體貼負責的好老師，喪禮上她簡直哭得比黎傢緹還慘，黎傢緹一直很喜歡她。

「老師好。」

「都還好嗎？」

「嗯，都可以，謝謝老師。」

「別看老師年輕，但我是個很好的傾訴對象喔。」王葦茹笑著說。

「謝謝老師。」黎傢緹感到心頭一陣暖意。

「妳現在要去哪呢？行政教室？」

「不是，要去廁所。」黎傢緹心虛地說。

「我剛好要找妳，跟妳說一個好消息。」王葦茹眼睛閃耀光芒。

「好消息？」

「之前忙著喪禮忘了跟妳說，學校接獲通知，妳拿到了獎學金，而且一直負擔到妳大學畢業。實在太好了。」說這句話的時候，王葦茹眼眶泛著淚。
「獎學金……」黎傢緹則是呆呆站在原地，先是不可置信，接著蹲著哭了起來。
這是自爺爺過世當天在醫院後，她首次哭泣。
一九九九年，在這一年，黎傢緹升上了高三，也成為了一名孤兒，同一年所有媒體上的小叮噹也全部都正名為哆啦A夢。

□

「黎襄理，這份文件麻煩妳簽名。」穿著深色套裝的職員雙手遞上用透明資料夾裝著的文件。黎傢緹伸手接過文件，簡單瀏覽一遍後，在簽名處簽上名字，並蓋上今天的日期章：二〇一七年九月三日。
「謝謝襄理。」職員微微鞠了個躬後離開。
今天是「那天」啊……黎傢緹現在才意識到這件事。十八年前的今天，爺爺過世了，之後她就刻意不去記憶起這一天。她用功讀書，順利考上大學會計系，靠著獎助學金完成學業後，接著半工半讀完成了研究所。之後在畢業隔年，二十六歲時考進了一家大銀行上班，一路升職，終於在工作了七年後升上了襄理，工作至今。

黎傢緹環顧四周，寬敞明亮的辦公區，大廳客人絡繹不絕，電子螢幕不停跳著號碼，第一線職員低頭點著錢、敲打電腦，忙碌而充滿生氣。是一份還可以的工作吧，爺爺應該也會這樣想的。她低頭看到桌上的哆啦A夢擺飾，嘴角不由得揚起微笑。

「在笑什麼？」

「沒有。」黎傢緹一抬起頭就看到她的上司許艾怡正站座位前對著她笑。

「輪到我們吃飯了。」她舉了舉手上的小提袋，這是她的午餐專用袋，裡頭擺著傘與錢包。

「啊，已經十二點了？對不起我沒注意時間。我們走吧。」黎傢緹快速拉開座位最下層的抽屜，拿出錢包起身。銀行業午休採輪班制，今天她們排在十二點用餐。

透明玻璃自動門一開啟，一股熱浪襲來、光線刺眼，今年夏天特別長。

「好熱啊，今天我們吃涼麵好了。」許艾怡說。

「好啊，實在是太熱了。」

黎傢緹看著身旁保養得宜的許艾怡，不由得心生佩服，如果不說的話，絕對沒有人會猜到她已經年屆五十，不僅臉龐光滑富有光澤，身材也很纖細。更讓她佩服的是，許艾怡曾經有一段日子是獨力扶養著孩子。

她與前夫都是銀行職員，兩人一見鍾情，交往兩年後結了婚。一直想要孩子，好不容易懷了孕，可惜好景不常，孩子出生前丈夫就過世了。於是她咬著牙一個人照顧孩子，一直到女兒七歲才再婚，之後以四十歲高齡之姿又生了兩個兒子。或許因為經歷過這些，黎傢緹一進公司，知道其孤兒身分後，許艾怡就特別照顧她。

「怡姐，妳進來銀行多久了？」黎傢緹擦了額頭上的汗問道。雖然說是上司，論年紀也有點差距，但她們的相處更像是姐妹。

「應該有二十年了，已經久到都沒數到底幾年了。不過我記得是在跟妳同樣年紀時進來的……」許艾怡說：「啊，這麼說來也快三十年了。」

「而且還是妳唯一的一份工作，太不可思議了。」

「我自己都覺得不可思議。」說完兩人都笑開了。

她們在常去的麵店點了兩碗涼麵與味噌湯，店內幾乎沒有什麼佈置，不過冷氣倒是很強。

「妳不是週末就要結婚了，幹嘛今天還進辦公室？結婚前應該有很多事要忙吧？」用餐時，許艾怡這樣問著。

「不會啦，週五就開始休假了。我沒有家人，品軒家裡也不講究儀式，所以輕鬆很多。」江品軒是黎傢緹的未婚夫：「而且結婚之後就有大假可以放啦，想趁休假前先把事情處理完。」

「蜜月要去哪？」

「要去西班牙。」

「好棒喔，我幾年前去過一次，一定要去米拉之家喔。原本很討厭高第的建築，覺得歪七扭八的，但到巴塞隆納看到米拉之家後，我就成了他的粉絲了。」

「我很喜歡高第。」

黎傢緹會認識高第其實是因為爺爺的關係。某回電視播放著西班牙旅遊時，爺爺指著電視裡的建築說了一句：「怎麼會有房子蓋得奇形怪狀，真是奇形怪狀啊。」爺爺重複了兩次。當時她就印象深刻，奇形怪狀也成了日後黎傢緹記憶西班牙與高第最重要的記憶。

雖然爺爺沒有多說什麼，但黎傢緹發現每次只要電視台報導西班牙的新聞時，他都會停下來看，尤其是高第，只可惜他從來都沒有機會去親眼看看。

黎傢緹眼眶一熱，眼淚就這麼掉了下來。

「怎麼哭了？」許艾怡慌張地問，趕緊抽了幾張面紙給她。

「對不起，我想起了爺爺。」

「相信妳爺爺若是知道妳要結婚的話，一定也會很開心的。」許艾怡拍了拍她的背安慰。因為這句話，黎傢緹的眼淚突然止住了。她想起了星期三轉角處的都市傳說，在每週三的下午五點至七點之間，在台北車站的地下街某處，有一個叫做「遺憾招領中心」的地方，那裡能夠將信件寄回到過去。

雖然她早就去過爺爺牌位前跟他報告結婚的事，但她最想要的仍是讓爺爺知道她現在過得很好，讓他能安心。還有，她仍欠爺爺一個道歉，遲來的道歉。

今天剛好是星期三，她想要試試。

下午黎傢緹臨時跟銀行請了假。

回家前她先繞去了一趟超市。她想要做一個海鮮便當給爺爺吃，她終於有能力讓他過好日子了。完成便當後，黎傢緹取出一張便條紙，寫了一句話，猶豫幾分鐘後，又補寫了一句話。為了防止便當冷掉，她細心地用橘紅色的棉布包裹起來，那是她名字的顏色。最後她在包裹上寫著「黎典陞 爺爺收」，一旁則是「1999090311300-000」，再附上自己名字，希望能趕在下午四點前抵達台北車站。

抵達台北車站時已經五點十五分，雖然還有將近兩個小時的時間，但黎傢緹並不知道遺憾招領中心在哪裡。她抬起頭茫然地望著指示牌，終於在字海中看到了「招領中心」四個字，於是硬著頭皮跟著指示前進。

真的到得了嗎？真的有這樣的地方嗎？黎傢緹在錯綜複雜的地下街漫無目的地走著，一邊詢問著自己。

身旁的廣告招牌讓她感到頭暈目眩，不知道走了多久，突然間她被暗處的一圈白光吸引，抬起頭一看，發現光芒是從一個櫃檯照射出來，櫃檯前站著一名穿著制服的少女，黎傢緹走近一看，發現還有一位身穿黑色西裝的男子站在裡面。

就是這裡了，直覺告訴她找到了。

□

一九九九年

連日的多雨終於停了，黎典陞看著窗外白晃晃的天空這樣想。樓下突然傳來開門關門的聲音，他站起身望了一下。

「傢緹出門啦。」陳鳴這樣問。

「是啊……」黎典陞點了點頭，又坐回椅子上，一副欲言又止的表情。此時他正在三樓的老鄰居家串門子，這是他每天固定的行程。幾乎除了用餐時間與必要的外出，這裡是他除了家裡外待最久的地方。

「怎麼吞吞吐吐，發生什麼事了？」陳鳴馬上看出了黎典陞的不對勁。

「哎，不就我家那丫頭最近跟我鬧脾氣，說是要休學去工作。這一個禮拜都不跟我說話。」說到這件事，黎典陞就眉頭深鎖。

「休學啊，這可嚴重了。」陳鳴也搖了搖頭，他是知道黎家的狀況。「不過現代的年輕人跟我們不一樣了。」

「哪有什麼不一樣，讀書還是最重要。」黎典陞口氣嚴肅。

「傢緹也沒說她以後不會再讀書了啊。」

「就算我拚了老命，也非得讓她把書讀完，別像她父親一樣……」說著說著，黎典陞鼻頭一酸。

「傢緹是好孩子，不會跟她老爸一樣的，放心。再說，她也是想讓你過點好日子，不是嗎？」從小看黎傢緹長大，陳鳴怎麼不懂她的心情。但他也很了解這位老鄰居的倔強脾氣，這是他表現關心的方式，只會一逕地給予，對於兒子是，現在對孫女仍是，雖然方式變了，但本質仍是一樣。或許這也是對傢緹的一種補償。

黎典陞沉默不語。

嘆了口氣，陳鳴再說：「這樣吧，我的錢，不急，你緩緩再給，沒關係。」

「這可真不好意思……」黎典陞由衷地說：「這些年真的多虧了你的幫忙，不然我還真不知道該怎麼辦才好。」

「都老鄰居了，講這什麼話。」

陳鳴獨居在三樓的公寓，有一個兒子、一個女兒，都已經成家立業，散居在各地，偶爾才會回來探望。兒子曾邀他一起同住，但陳鳴說自己一輩子都在這裡生活，所有的朋友也在這，他再活也沒幾年了，開心最重要。

十二點，黎典陞踱步到一樓信箱檢查信件，今天連封廣告信都沒有。接著回到家裡準備吃午餐，心裡盤算著把昨晚最後那一點剩菜煮成粥。一推開門，黎典陞就看到一把粉藍色的哆啦A夢圖案雨傘還晾在門口，餐桌上則多了一封信和一個包裹。

「傢緹中午有回家啊，怎麼沒注意到。」黎典陞拿起包裹，上頭寫著「黎典陞爺爺收」想必是她放的。打開來，發現裡頭是一個橘紅色的棉布包裹的物品，還有點溫熱，再打開，原來是便當。上頭附了一張便條紙寫著：

爺爺：

我參加比賽拿到了獎金，所以特地買了您喜歡的海鮮做了便當讓您吃。對不起，這幾天讓您操心了。我以後也會很好的，請爺爺放心。

傢緹

原來是那丫頭特地做便當來賠罪啊。

黎典陞打開便當盒蓋，濃郁的香氣撲鼻而來，裡頭果然是豪華的海鮮料理，他大口扒著飯，感受到幸福滿溢。這十七年來的時光，雖然刻苦，但他們爺孫倆相依為命，日子也過得知足。

傢緹幾乎沒讓他擔過什麼心，她比一般同年齡的人早熟，國小就學會打理自己，更不用說現在，甚至會開始想要照顧他，不過最讓黎典陞擔心也是這點。他時常煩惱她太習慣照顧別人，而忘了要照顧自己。他沒能給她好的日子，所以更希望她要對自己好一點。

黎典陞想起那天晚上，她說著「我十七歲了，已經長大了」的神情，突然沉靜了下來。是不是他眼中的小女孩，真的在不知不覺中變成大人了？他是不是該尊重她的意見？傢緹不是那種莽撞未經思考的人，這點他比誰都清楚。

日子時常過得無聲無息，唯有在她的身上，黎典陞才發現了自己的衰老。他不知道還能夠陪伴多久，只知道有天她終會無依無靠，一顆心始終懸著放不下。

用完午餐後，黎典陞把便當盒清洗完畢準備包裝回去時，看到了方才貼在便當上的那張便條紙，思考了幾秒後，也拿出筆在上頭寫了字，然後放回便當盒裡。

收拾妥當後，黎典陞才又想起有另一封信的存在。拆開封口，裡頭是一張通知單，上面大意是「傢緹獲得了獎學金，並且一直提供到大學畢業」的通知。黎典陞收到這封信喜出望外，這真是不可多得的好消息，一直以來心中的大石也終於能放下。

午後，黎典陞又到了樓上串門子，五點多時，突然下起了大雨。

「啊，怎麼突然下雨了？」一聲雷響吸引了黎典陞的注意。

「怎麼了？」陳鳴問。

「傢緹沒帶傘出門，我可得拿傘去給她，才要開學就感冒可就糟了。」

「這樣啊，你快去快去。」

黎典陞右手撐著黑傘，左手拿著那把粉藍的傘，身影逐漸沒入滂沱大雨之中。

□

「您的信件回覆了。」洪皓雙手遞上。包裹回來時比剛剛送去前輕了許多，溫熱也早已退去。

黎傢緹接過洪皓手中的包裹，她小心翼翼取出裡頭的便當盒，橘紅色棉布包裝得仍很完整，就跟剛剛寄過去時一樣。這很像是爺爺的風格，黎傢緹心想。

原本貼在棉布上的便條紙已經不見了，打開棉布與便當盒蓋後，發現便條紙在裡頭，在原本寫著的字句旁，此時多了一句：

太久沒有吃傢緹做的菜了，手藝進步很多，很好吃，爺爺很喜歡。只要妳能過得幸福，爺爺就覺得足夠了。

看到熟悉的字跡，黎傢緹頓時眼眶紅了。

而除了原本附上去的便條紙外，便當盒裡頭還多了一張表面不甚工整的白紙。黎傢緹用顫抖的雙手打開紙張，原來是當年那張被撕碎的休學離校手續單，爺爺用透明膠帶將它給黏合了起來，並且已經蓋好章簽上了名。

握著輕薄的紙，黎傢緹的眼淚終於忍不住潰堤。淚眼中，她彷彿看到了爺爺打開便當欣喜的神情，滿足地吃著便當的身影。

「爺爺，我遇到了一個互相喜歡人，他對我很好，這個週末我們就要結婚了。有人照顧我了，現在的我過得很幸福……您可以放心了，」

黎傢緹手心捧著不鏽鋼便當盒，淚水不斷從眼眶中溢出：「謝謝您過去的照顧、謝謝……我很想您。」

輯2
戒指

事情從來都沒有
真正的「結束」過，
以前是、以後也是。

下午五點十九分

自從懷孕以後，藍婧淇開始喜歡逛地下商店街。

充滿香氣的麵包店、繽紛鮮豔的服飾店，還有琳琅滿目的藥粧品店，這條地下街她走過許多回，牢記每家店鋪的位置、每個轉角的商店，就連廣告換了招牌她都能夠發現。台北的夏天炎熱，而涼爽的地下街成了她頂著大肚子的最佳散步去處。

百貨公司的冷氣更強，但魅力明顯不如地下商店街。人們是去那裡購物的，所以眼睛總是盯著商品看，像是虎視眈眈的野狼；但在地下商店街就不同了，這裡是一個點連接另一個點的通道，地點才是目的，商店只稱得上是點綴。要是說出「我晚上要去地下街逛街」這樣的話，恐怕會引來一陣側目。

但這就是藍婧淇喜歡地下街的原因，在這裡誰都是過客，沒有人會久留，也不需要有歸屬，因此反而讓人有種鬆口氣的感覺。她來這裡是看人的，看著行色匆匆的人潮，就會莫名地感到安心。

今天，她不是來散步的，而是來寄東西。每個星期三在地下街的某處，有個地方能夠將信件寄回過去。今天正是星期三。只不過她並不知道確實位置在哪，於是只能順著地下街走，看看自己是否運氣夠好。

「請問，你知道『遺憾招領中心』在哪嗎？」藍婠淇試著詢問地下街商店的店員，他們在此處工作，應該最了解。

「『遺憾招領中心』……？」對方先是露出一臉疑惑，幾秒後才又說：「妳是說那個可以把東西寄回過去的地方嗎？」

「對，就是那裡。」對方聽過遺憾招領中心，讓藍婠淇喜出望外。

「那是謠言啦，根本沒有那種地方。」對方揮了揮手：「怎麼可能可以把東西寄回過去啊，又不是科幻電影。」

「噢。謝謝。」藍婠淇垂下肩，有點沮喪。

他用的詞彙是「謠言」而不是「傳說」，難道那樣的地方真的不存在？

藍婠淇摸著隆起的大肚子，繼續在地下街走著。她已經懷胎九月，越來越不耐走了，肩膀與脊椎更時常痠痛，以前可以走上幾個小時都不嫌累，但現在半個小時便需休息。預產期就在這兩週，在生產前，她想把信件寄出。

轉角處的燈箱有「相思巴黎：館藏常玉展」的展覽廣告，上頭主要的畫作是〈荷塘〉，金黃色荷葉、堅毅有力的黑邊勾勒出白色荷花，是油畫卻有東方水墨書法的線條，洗練又溫柔。歷史博物館正在展出常玉的作品，雖然已經去觀賞過，但無論看幾次，他的畫總是能吸引藍婧淇駐足，讓她安靜下來。

藍婧淇感受到肚子裡有細微的震動，是踢腳了吧，她低下頭摸了摸肚子，低聲說了幾句話。她還不知道孩子的性別，是刻意請醫師不要告訴自己，已經四十一歲了，只要孩子健康就好，性別一點都不重要。

抬起頭時，看到一位身穿類似銀行套裝的女子紅著眼眶迎面走來，藍婧淇有點詫異，擦身而過時，在她模糊身影後方，看到了一處透著白光的窗台。

「您好，這裡是遺憾招領中心。」一走近，櫃檯後方的男子開了口。

找到了，是真的存在。藍婧淇愣愣地想著。

「是否有東西要寄送？」洪皓望著眼前身穿淺藍色孕婦裝正在發呆的女子問道。

「對，有的。」藍婧淇急忙拿出一紙信封，裡頭有個突起硬殼物品。

「當天就會收到回信，不過會保留三個月，期限內再回來領取即可。」洪皓收下物品，簡單地說明。

「好的，謝謝。」藍婧淇環顧了四周，發現一旁有排藍色的椅子：「我可以在那裡等嗎？」

「當然可以。」洪皓微笑點頭，接著轉身將信件收納進置物櫃。

藍婧淇撫著背椎，以緩慢的速度坐下，她深深吸了口氣，將手輕輕擺放在肚子上，感受胎兒在肚子裡的輕微移動以及呼吸心跳的律動，藍婧淇又想起了剛才常玉的畫作，記憶起了年輕時候的自己。

「你不覺得那兩隻花豹像摔在地上的黏土嗎？」

一個陌生男子的聲音，突然闖進藍婧淇的思緒中。

十九歲的藍婧淇正聚精會神地凝視著常玉的畫作，原本她專注地沉浸在自己的世界裡，突然被這句話打擾。而男子口中的豹，就是眼前這幅〈藍夜花豹〉裡的主角。

她聞聲轉過頭，發現一名年約二十出頭的年輕男子正站在她身旁，不過即使剛剛發出了聲音，但眼睛仍盯著畫作看沒移開。一瞬間藍婻淇不確定方才他是在跟自己說話？或根本只是在自言自語？

「你在跟我說話嗎？」藍婻淇還是開了口。

「都是。」男子只是笑著，眼裡閃過惡作劇神采，視線仍沒離開〈藍夜花豹〉。真是怪人。藍婻淇嘀咕了一聲，回頭繼續沉浸於色彩濃厚的畫作中。

這幅畫並不是常玉的畫作裡最知名的，但卻是藍婻淇最喜歡的，圖畫上方的四分之一是深如墨的藍夜，幾乎接近黑色還隱約透著星光；下面佔滿四分之三的則是閃耀金光的黃色大地，像是沙漠也像是夜裡輕輕搖擺的麥田，而上頭臥著兩隻佈滿斑點姿態慵懶的白色花豹；畫的中央則被厚重色料層層塗抹覆蓋住，隱約可見的斑剝線條。常玉的畫多是簡潔的，可就因為如此精簡，更顯得情感飽滿。

摔在地上的黏土……?!藍婻淇腦中突然跳出這句話，笑了出來。

「我說的沒錯吧。」男子再次開口，此回他終於轉頭看著藍婻淇了：「妳好，我叫張信輊。」

「Blue。」幾乎是下意識的反射，藍姷淇防備地說出自己的英文名。

「藍色？」張信輊帶點狐疑的表情看著她。

「對。」似乎被看穿了意圖，藍姷淇心虛低下頭，接著補充道：「我的姓。」

「啊，我是不是讓妳誤會什麼了？」張信輊突然笑了出來：「我不是什麼亂搭訕人的怪人啦。」

「我不是這個意思。」藍姷淇連忙否認，整張臉都漲紅。

「反正總有一天妳會跟我說妳的名字。」他說，還是一副戲謔的表情。

藍姷淇盯著眼前陌生男子，或許正因這樣的表情，讓她有了防備心。

到底是哪裡來的自信?真是怪人。

「很喜歡常玉？」張信輊又把視線調回畫上頭。

「對。」藍姷淇見狀也移開原本盯著他的視線。

「也是〈藍夜花豹〉？」

「什麼意思？」

「他所有作品裡，我也最喜歡這幅畫，每次來都只盯著它看。」

「每次？」

「對，每次。」

「偏偏這幅畫又掛在最外面，害我每次都卡住，無法往裡面走。」

「我也是，每次都在這裡待最久。」

「最厲害的是線條的使用方法。」

「合乎邏輯卻又沒有脈絡。」

「不像是畫出來的……」

「是長出來的。」

一陣靜默。

「八十一。」

「一百零二。」張信輕詫異地轉過頭看著藍婻淇，隨即又轉回去。

「枯樹。」

「張開四肢的羊。」

張信輕微微笑了。「妳覺得我們可以這樣盯著這兩隻豹對話多久？」

「噗哧。」藍姷淇捧著肚子笑了出來，安靜幽閉的空間裡迸出了一聲悶悶的回音，同一瞬間，張信輊拉起了她的手往外跑。

光線從幽暗變成白花花的亮光，在室內常常叫人分不清日夜，手錶上的分針秒針純作參考，唯有等到走出戶外才能夠真實確認。

「我的名字是藍姷淇。」站在定點後，氣喘吁吁的藍姷淇脫口說出自己的名字，而張信輊只是盯著她笑著，一副「我就說吧」的模樣，午後陽光從他的頭頂撒下。

怪人。藍姷淇忍不住再次這樣想。

這是他們第一次見面的情景，常玉的畫、白色花豹與金黃色。日後只要想起，藍姷淇的腦中就會被溫暖的陽光充滿。

「我們來一場正式的約會吧。」終於，他這樣回應了她。

他們第一次的約會地點是在一座陸橋上。

當張信輊對藍姷淇約好四點在捷運淡水站時，她一度在心裡將他扣了分。淡水老街、漁人碼頭、阿給鐵蛋酸梅湯，來這裡看到的人比風景多，淡水是她高中時才會來的地方，而且，約在四點也很奇怪。她唯一想到的合理解釋，就是張信輊住在淡水。

可是，他並沒有帶她去老街。

「走吧。」這是張信輊見到她之後的第一句話，沒有問候也無寒暄。只是笑著。怪人。

但藍婔淇仍是跟他走。他帶她往捷運前方的馬路走去，這不是大多數人去老街的路線，倒像是刻意逆向似的，幾乎與洶湧的人潮背道而馳。

「老街不是從捷運後面走比較快？」藍婔淇愣愣地問著。

「沒有要去老街啊。」

「不是？那要去哪裡？」刪除掉老街後，她對於淡水的印象薄弱。

「十分鐘後妳就知道了。」說完張信輊又笑了。

「啊，淡水禮拜堂？馬偕故居？」

「十分鐘後妳就知道了。」又笑了，惡作劇的神采。

他們先是沿著中正路走了一小段，接著拐進一條不知名的小巷，開始在彎彎曲曲的道路裡轉啊轉地，狹小的老巷子不甚寬敞，電纜線佈滿天際，一旁停著成排機車，行人稀少，街道安安靜靜地，這裡就像是尋常生活的地方，而不是觀光地區。

一定是淡水人。

藍婧淇再次肯定，否則怎麼會知道這些小巷弄，她來過淡水好幾次，不管同行的人是誰，大家首先去的地方必定是淡水老街，一趟走在雜沓壅擠的老街上，另一趟則沿著淡水河畔走，因人而異順序會有對調，但大體上都是這樣。在印象中，渡輪也搭過一次，淡水和八里是雙胞胎的代名詞。

兩個人繼續走著，張信輊走在前、藍婧淇在後方跟著，一路上沒有特別的交談，與其說是同行，反而更像是剛好同路的人。不久後，巷道的盡頭處又看見了人潮，出現在眼前的是一處小小的三角圓環，中央佇立著熟悉的馬偕博士雕像，他們回到了鬧區。剛才短短幾分鐘的路程，像是一小段魔幻旅程。

「你對這裡的路很熟？」終於藍婧淇忍不住提問。

「只要朝正確的方向走就可以了。」張信輊說得理所當然。

他們往馬偕街鑽了進去，經過了滬尾偕醫館、淡水禮拜堂，接著是馬偕租屋處，這裡是藍婧淇對於淡水印象的最終點。不管是獨自一人或者是與朋友一起，馬偕租屋處總是步行的終點站，到了這裡後就是回返的路了。若是要到真理大學或是紅毛城這些較遠的地方，則會選擇搭乘公車。可是馬偕街的盡頭並不是在這裡，張信輊仍持續往前走，再前面轉個彎是一條長長的緩坡，一側佈滿了一幅又一幅的淡水風景彩繪牆面。藍婻淇從來都沒有發現過這裡，覺得新鮮。

坡道最後結束在一座陸橋的階梯上，張信輊指了指陸橋，示意要走上去：「妳會怕高嗎？」然後他說。

「什麼？」

「如果會怕的話不要看腳下。」說完便一股勁地跑上陸橋。

藍婻淇跟在後頭，連續十幾分鐘的不間斷走路，讓她開始喘氣，等她爬上陸橋後，只看到張信輊在中央處停了下來，手臂伸得直長、食指指著左前方。藍婻淇順著他的指示回頭望向身後，突然間開闊的淡水河景出現在眼前。

由於接近黃昏時間，藍天比起正午時更深沉了，河水在陽光的照射下閃耀著金色的光芒，隨著潮汐波浪閃耀出點點光芒，亮的黃、淺的黃、暗的黃、帶點紅的黃，像是層層堆疊上去的厚重油畫。

「好美！」藍姷淇不由得由衷讚嘆著。

「蹲下來。」

「蹲下來？」

「對。」

怪人！藍姷淇在心裡嘀咕，但仍跟著張信輊蹲了下來，視線越過欄杆，河的面積更大了，成片的黃色更為強烈。

「好像一幅畫……」藍姷淇著迷看著眼前風景，風輕輕拍打在她的臉上。

因位在高處、前方沒有遮蔽物、距離淡水河也近，所以整個視線都被整片河水給佔滿；並非一小幅被框住的明信片圖集，而是無邊際的景色。

藍姷淇被眼前景象緊緊吸引，有好幾分鐘的時間，只是凝視著，張信輊也是。彷彿回到初相遇，兩個人靜靜看著常玉的畫作。

「啊！」突然，藍姷淇發出了一聲驚呼。

張信輊又露出了惡作劇般的笑容。

「〈藍夜花豹〉?!」藍姷淇睜大眼睛說著。

天還是天，但海洋成了陸地，他們是那兩隻花豹。

而張信輊只是滿意地看著她露出微笑。

「陸橋是很奇異的存在。」然後他這樣說：「處在天空與地面之間，像是連結兩個場域一樣，若說在陸橋上人會消失闖入另外一個世界，我也相信。」

「就像是結界。」

「對，就像是結界。所以我一直很喜歡陸橋，在上面都可以待很久，無論是哪座。」張信輊又補充：「但最喜歡的還是這座。」

「你有想要逃離的事嗎？」

「有。」

「什麼？」

「人生。」說完又是同樣惡作劇的眼神。

「什麼嘛。」藍婻淇輕輕推了張信輊的肩膀。

一直等到陸橋下的街燈亮了起來，他們才起身離開，回程時沿著淡水河畔走，人潮已經比下午消散許多，淡水終於開始安靜了下來。

晚餐他們隨意選了一家有著文青風佈置簡單的餐廳吃飯，比小吃攤有氣氛一點，稱不上精細裝潢，卻看得出老闆將自己的收藏與搜集物品統統擺在一起。餐廳內不算吵雜，但也非全然無聲，僅有交談嗡嗡的低鳴，與偶爾刀叉碰撞磁盤的清脆聲響。

到了這個時候，藍婧淇才比較了解張信輊，他二十三歲，讀的是企業管理，正在進修研究所，家裡還有一個妹妹，母親在幾年前就過世。然後，原來他住在信義區。

「妳呢？」他反問。

「十九歲，大二生，讀的是藝術，住在東湖，家裡還有一個妹妹一個弟弟，在咖啡館打工。」簡潔有力。

「打工？我也是。」

「一樣在咖啡館嗎？」

「不是，是書店。」張信輊邊說，邊把一圈義大利麵送進嘴裡，接著問道：「所以妳是因為讀了藝術，所以才去看常玉？」

「剛好相反，是因為喜歡常玉，所以才選了藝術科系。」

「想當畫家？」

「不、不，我沒那個天分，但想在藝廊工作。」

「啊，好幸福喔。」

「這樣一來每天都有畫可以看。」藍婗淇一臉愉悅。

「真讓人真羡慕呀。」

「你也可以啊，做做夢誰都可以。」

「真的嗎？」

「當然，沒有人可以管你在想什麼。」

「好吧，我被妳說服了。」

用完餐後，他們一起搭車到捷運昆陽站再各自回家。

「你不要送我回家喔，我不習慣這樣。」搭捷運時，藍婗淇主動這樣說。

「那我們取一個中間的地點解散好了。」然後張信輊這樣回。

回到家後，藍婗淇才記起來，這是她第一次到了淡水沒逛老街也沒有吃阿給，而且，當晚也沒收到張信輊傳來的任何訊息。

真是個怪人。

後來回想起來，藍婔淇並不知道他們是何時開始交往的。

第一次「正式約會」當晚，並沒有收到張信輊任何問候或是訊息，她以為他對自己沒有好感，他們也不會再有交集。意識到自己的過分在意，藍婔淇不禁生著悶氣。

到了隔天，他卻傳來訊息：「晚上要不要看電影？」而她回覆了「好」。

再隔天，則是「要不要去逛夜市？」她仍是回覆「好」。

緊接著大後天「想不想去看夜景？」她同樣回覆了「好」。

再來則是「我跟朋友要吃飯，要來嗎？」她打了「好」。

直到某天，他當著朋友的面說：「這是我的女朋友。」就像是「我今天早餐喝了咖啡」一樣自然，那時候藍婔淇才知道原來他們在一起了。

而她也沒有反對，她只有這樣說：「不准到我打工的咖啡館等我下班。」

張信輊先是愣了一下，接著說：「好。」也沒再多問。

藍婔淇猜想這是默契，通常情侶要用許多時間累積起來的心有靈犀，他們很快就達成了。他們越過了彼此猜測試探的迂迴過程，疑問句不是申論題，而是對或錯的是非題。他們都不是彼此的初戀，但卻頭一次感受到這種程度的親密。

就連情侶之間的偏執爭吵，他們都一併略過了，他們幾乎沒有吵過架。鬧過彆扭，但從來不會損及情感，周遭朋友都笑說，他們是兩個身體裡住有老靈魂的人。

自己是因為家境不好，所以自小便開始打工，因此早早練就了看人臉色的能力，至於張信輊為何會比同年齡的人早熟，藍婻淇一直不知道原因，直到大學畢業後她首次與他父親見面後，才明白了為什麼。

那是他們交往第三年的事，張信輊也正巧從研究所畢業。

與信輊的父親見面那天，藍婻淇詢問過父母親的意見，刻意穿了一身的淺色洋裝赴約，那是一家看起來頗為高級的中餐廳，偌大的紅色燈籠從天花板垂吊而下，深色的大理石地板有種夜空的暈眩感。

「爸，這是婻淇，婻淇，這是我父親。」一到桌邊，張信輊便熱切地介紹著。

「張伯伯好。」藍婻淇微微鞠了躬。

「妳好、妳好，快坐下。」

信輊的父親雖然笑著，卻帶有說不出的威嚴感，他穿著正式深色西裝，打上了領帶，頭戴了頂扁貝雷帽。藍姷淇覺得他有點眼熟。

「這還是信輊第一次把女朋友介紹給我。」張伯伯接著說。

「爸。」張信輊發出抗議，藍姷淇感到一絲驚訝。

「這小子很神祕，什麼都不說。姷淇今年幾歲？做什麼工作的？」

「我今年二十二歲，上個月才從大學畢業，剛在藝廊上班一個多月。」

「藝廊？信輊很喜歡一個畫家，叫做常什麼的？」

「常玉。」

「對、對、對，就是他。看來你們的興趣相同。」張伯伯滿意的點了點頭。

「我們就是在常玉的畫展認識的。」

「還真是緣分啊，妳家是做什麼的呢？」

「爸爸在工地工作，媽媽則是家管。」

「工地？」張伯伯露出疑惑的表情。

「對，負責運送搬運水泥。」藍姷淇趕緊補充解釋。

「妳知道我們張家是做什麼的嗎？」張伯伯突然收起笑臉。

我們張家……？現在換藍婧淇一臉困惑，她不安地望向張信輊。

「爸……」

「沒事，吃飯吧。」

飯局幾乎是在尷尬的情況下草草結束，菜甚至還沒上完，張伯伯丟下一句「我還有約，就先走了。藍婧淇一臉錯愕，不明白為什麼對方的態度會突然轉變，難道自己說錯什麼了嗎？

直到張伯伯離開後，藍婧淇才終於想起為什麼覺得眼熟，她曾經在某則新聞上看過他，他是知名的大印刷業老闆：張霆堰。她也頓時意會過來，原來當初信輊說的「在書店打工」，指的是自己家的企業，他準備接班的企業。他竟是一個企業小開，藍婧淇從來都不知道。

或許因為之前自己與信輊仍是學生身分，與工作的連結薄弱，到了此時藍婧淇才想起，她從來都未多追問過他家裡的狀況。

張伯伯是不是誤會什麼了？

「對不起，我沒有想到會這樣……」在回家的路上，在捷運上張信輊率先道歉。

「我沒有貪圖你家的錢。」藍姷淇開口這樣說，語氣裡有點埋怨。

「我知道，我爸不是那個意思，妳不要誤會。我會跟他好好說明，放心。」

但事情並沒有好轉，藍姷淇總共只見過信輊的父親兩次面，這是第一次，第二次見面卻是在醫院。

八月底，藍姷淇發現自己懷孕了。

這無疑是雪上加霜，不管是她或是信輊現在的狀況，都不適合有孩子，在彼此的年紀、工作或是人生之中，別說是前幾順位，此時此刻根本不在選項之內。

藍姷淇懷著忐忑的心情告訴張信輊這件事，她原以為他的感受會跟自己一樣，但沒想到信輊卻是高興地手舞足蹈，甚至抱著自己哭了起來。

藍姷淇茫然了，她喜歡孩子，但不應該是現在。更何況原本張伯伯就對自己不太友善，恐怕會加深誤會。

「我會跟爸爸說，他一定也很開心。」彷彿看出她的疑慮，張信輊這樣保證。

但藍姷淇仍是不確定。

隔天張信輊罕見地開車到藝廊接她下班。初交往時，因為藍娋淇曾經提出要求，因此他一次都沒接她下班過，今天有點反常。當然是因為懷孕的關係，她這樣想。

上了車，藍娋淇悶頭不說話，倒是張信輊仍是與昨天相同的喜上眉梢神情。

「我們去慶祝。」

「慶祝什麼？」果然是因為懷孕的關係。

「新生命呀，還有我們的新人生。」

「沒什麼好慶祝的。」

「娋淇，」察覺到她的反應，張信輊這樣說：「不要那麼悲觀。」

原本以為要去吃飯，但沒想到張信輊卻是將車開到歷史博物館，藍娋淇一臉疑惑，已經過了開館時間，雖然緊鄰著植物園，但此時也不是適合參觀散步的時間。

「別緊張。」張信輊輕輕揉了藍娋淇的手掌心，每當她不安時他都會這麼做。

夜晚的歷史博物館大門深鎖，綠色的屋頂瓦片與紅色的樑柱，沒有打上燈的中國樣式建築顯得有點昏沉暗淡，藍娋淇從沒晚上來過這裡。

「妳知道為什麼來這裡嗎？」走到正門口時，張信輊停下這樣問著。

藍婻淇沉默了一會兒，才回答：「因為這裡是我們認識的地方。」她當然沒有忘記這件事，只是為何要來這裡？

「可以了。」張信輊點點頭說。可以了……？可以什麼？藍婻淇滿腦子問號。還來不及多問些什麼，不知道從哪邊突然冒出燈光人影，藍婻淇尖叫了一聲，緊貼著張信輊。

「我知道妳討厭驚喜，但就這一次。」張信輊這樣說。

此時，藍婻淇才適應了光線，定睛一看，發現圍繞在身邊的都是他們的朋友，有人拿著相機、有人拿著氣球與花，還有音樂聲。

接著，張信輊單膝跪了下來，手捧著深藍色的戒指盒，裡頭則是金色的布絨，就像是〈藍夜花豹〉裡的夜空與黃金大地，而裡頭靜靜躺著一枚白金色戒指。

「看似荒蕪，實則閃耀，這是我對妳的愛，妳願意嫁給我嗎？」

求婚……?!藍婻淇不可置信地睜大眼睛。孩子不在她此時的考量內，當然結婚也不是。如電影劇情般的求婚，但她絲毫沒有感受到幸福。

「Yes、Yes、Yes.」周圍的朋友開始開始鼓譟，藍婻淇突然哭了出來，雙手摀著臉。眾人見狀，解讀為喜極而泣，紛紛開始歡呼鼓掌。

張信輊輕輕抱住藍姷淇：「妳不用現在就急著答應，等妳準備好了，再給我回答。我很有耐心，多久都沒有關係。爸爸那邊妳別擔心。」

而她只是哭著。

那晚過後，他們再也沒有提起這件事，彷彿從來沒有發生過似的。他們還是常碰面、每天通電話，日子一如往昔，張信輊沒有跟她要過答案，而藍姷淇也只是等著。她不知道自己是在等著他與父親溝通的結果，或是在等著其他的決定發生。

接下來是罕見地長達一週的雨天，好不容易今天才開始放晴，到了傍晚又下起了雨。藍姷淇看著窗外的大雨嘆了口氣，她的害喜症狀逐漸出現，就像是時間在倒數催促著她的決定，心煩意亂。

六點多時，手機響了，藍姷淇瞄了一眼來電顯示是張信輊，猶豫了幾秒後決定不接。到了七點要離開藝廊，信輊都沒有再來電，藍姷淇回撥了電話，但無人接聽，可能是在忙吧；七點半到家後，仍是沒有回電，藍姷淇又回撥了一次電話，那頭傳來「嘟……嘟……您的電話無人接聽」，依舊沒有回應。

一直到八點，電話終於響了，卻是個陌生的號碼。

「喂，你好。」

「喂，是婞淇嗎？」電話那頭傳來不太熟悉的聲音，但卻能喊出她的名字：「我是張伯伯，信輊的爸爸。」

「啊，張伯伯好。」藍婞淇連忙坐正。

「信輊出車禍了，正在醫院，醫師說不樂觀，妳趕快過來。」

藍婞淇睜大眼睛不可置信，拿起包包就往醫院衝。

「發生了什麼事？發生了什麼事？他昨天還好好的，我們還一起吃了晚飯……」看到插管躺在病床上的信輊，藍婞淇激動地抓著張伯伯問，只見他一臉憔悴，隨即又轉向一旁的護士，眼淚不斷溢出：「拜託你們一定要救活他，拜託你們。」

就像是感應到藍婞淇來到身旁似的，張信輊微微地眨了眼睛，淚水跟著從臉龐滑落，「嘟——」生理監視器突然發出尖銳聲響，醫師護士簇擁而上，藍婞淇被推擠到後頭。畫面變成了像是黑白的無聲電影，她怔忪地看著眼前場景，最後的記憶是醫師對著張伯伯搖了搖頭的畫面。

她昏了過去。

再次醒來的時候是在病床上，她的父母親在一旁滿臉焦急。「信輊呢？他在哪？」母親只是搖了搖頭，「他在哪？我要去看他、我要去看他……」藍婧淇作勢就要起身，母親連忙制止：「不要下床，妳的身體……還不適合……」

母親的話讓她停止了動作，她的身體？是什麼意思？藍婧淇轉過頭看著母親，她只是微微點了點頭不作聲。藍婧淇雙手緩緩擺放在肚子上，為人母的直覺，感覺到有什麼東西不見了。抬頭看到母親憂愁的神情，藍婧淇突然全身癱軟，再次暈了過去。

這天，命運幫她做了決定，她失去了孩子，也失去了最愛的人。大雨還在下著。

如果知道那是最後一通電話，無論如何她都會接。

初秋九月傍晚的陽光斜撒進透明的落地玻璃門，在白色的牆面與地板上形成斑剝的光影，隨著樹影搖搖晃晃，像是水窪。

藍婻淇用手指揉了揉後背，緩緩地伸展了身體，淺藍色的孕婦裝在光線照耀下像是褪了顏色的白。今天是她產前最後一次進藝廊了。環顧四周，這間大約只有十五坪大，名叫「人言」的藝廊，位在赤峰街的小巷裡頭，是她近二十年的工作成果。

人言，組起來就是張信輊的「信」。是她對他的紀念。

十八年前那場意外發生後，同時失去了最愛的人與孩子，讓她幾乎一蹶不振，原本在藝廊的工作也無法繼續。那段時間她以為自己再也好不起來了，家人朋友從一開始的體諒到鼓勵，後來是責備，最後則幾乎放棄。「痊癒」像是遙不可及的天方夜譚，最可怕的是，她一點都不害怕自己從此就要這樣了。

日子注定要繼續下去，日子勢必要這樣過了。生活像是蒼白虛弱的棉紙，一如她的姿態。然而最後讓她好起來的，也是這樣的生活。原本家境就不算富裕，漸漸像是熟成的稻穗被壓得一點一滴地彎下腰，她蒼白的神色暈染到了父母親的身上，於是她終於有了驚覺。而那已經是過了一年之後的事了。

振作後，因為經濟考量，她捨棄了原本最喜歡的藝術，去了廣告公司當業務。讓自己忙一點，讓日子過得快一點。而這樣的日子算不上辛苦，她向來都是不怕身體勞苦的人，更何況最苦的日子她已經走過了。

中間斷斷續續談過幾場沒有結局的戀愛，她一直不知道自己準備好了沒有，「走出來了」是一句沒有標準的憑藉，她不知道是因為還沒走出來，才談不好戀愛；抑或是對方根本不是對的人。

所以後來，她放棄了談戀愛。或許她不再適合戀愛了。但可以確定的是，她早已不再惦記著過去，偶爾難免的傷心只是生活裡的一個小凹陷，一下就過去。

然後，在連續工作了十五年之後，三十八歲那年她用全部的積蓄開了一間藝廊。不過裡頭不只有畫，因應這些年興起的文創風潮，店內還有許多藝術家的設計物件，大至與人等身的雕塑品，小至桌上的小立燈，都是她定期飛到國外挑選的。牆上、桌上與櫃上那些選物，甚至可以說其實是她的成果展。繞了一大圈之後，她終於回到了最初的原點。這也是近二十年來，藍婻淇覺得自己又再次貼近了信軽。

而在同時間，她也在這裡遇到了她的丈夫。林谷明是藝廊的客人，開幕第一天就上門，買了草間彌生的南瓜擺飾，因為是人言生意開張的第一位客人，所以藍婻淇對他很有印象。之後陸陸續續又來了幾次，才漸漸熟絡起來，知道他三十五歲，在貿易公司上班，藝術則是他的興趣。

他們兩個在認識半年之後開始交往，又過了一年後結婚，然後有了孩子。丈夫知道她過去的事，並不介意。在藍婧淇的心中，原本覺得已經停擺的生命時鐘，突然又有了擺動。原來自己確實是可以往前走的，當時她這樣想。

「已經十八年了呀，十八年前的今天……」藍婧淇在心裡頭默念著，又伸展了一次身體。

「Blue，妳今天是產假前最後一天上班，那個……會緊張嗎？」說這句話的是藝廊的員工簡柔敦，食指正指著她隆起的肚子。

簡柔敦比藍婧淇小一輪，整整十二歲，但卻是工作上的好夥伴，打從人言一開幕她就在這邊工作，轉眼也過了三年。她們之間的相處就像同齡朋友。

藍婧淇聞言回頭笑著：「是要緊張什麼？雖然我是高齡產婦，但我才不怕。」

「我才不擔心妳生孩子，妳那麼身強體壯的。」簡柔敦把架上物品一一擺正，統一正面朝外。這是她的工作潔癖，而藍婧淇很喜歡，所以一拍即合。

「不然是什麼？」

「當然是人言啊。」
「有妳在我才不擔心。」
「不、不、不，妳誤會了，」簡柔敦誇張地搖晃著食指：「我是緊張妳這個工作狂沒上班會發瘋。」
「妳少誇張了啦。」
叮咚——
門鈴聲響，一位身穿著學生制服的年輕女孩走進店裡，長長的馬尾在身後擺盪。
「歡迎光臨。」藍姷淇與簡柔敦異口同聲這樣說，停止嬉鬧。
女孩的模樣看起來像是大學生，藍姷淇才想到，這兩天是許多學校的開學日，這女孩大概是剛從學校離開吧。
「若需要什麼服務再請跟店員說，謝謝。」
藍姷淇簡單招呼後，看了看手錶，發現時間已經是四點三十分了，於是跟簡柔敦簡單交代之後，拿了常用的帆布包推開店門出去。離開前，她特別再次檢查了包包裡頭的信封與信封內的物品是否還在。

她要去一個地方，那個位於台北車站地下街裡的神祕所在：遺憾招領中心。傳言那裡可以把物品寄回到過去。

藍婻淇幾年前偶然在網路上看到關於遺憾招領中心相關的訊息，但從來都沒有當真，更別說是放在心上。她是個務實的人，都市傳說不在她的思考範疇之內。更因為，她的遺憾是怎樣都彌補不了的，「什麼招領遺憾，能夠招領的都稱不上是什麼巨大的遺憾。」藍婻淇忍不住這樣想。

再次記憶起這個地方是在懷孕第五個月時。懷孕以來情緒起伏開始變大，時常感到低落，她是個冷靜理性的人，因此直覺是「產前憂鬱症」，諮詢過醫師後便安心。可是情況並沒有好轉。

一直到第一次感受到嬰兒在肚子裡踢腳的時候，她驚訝不已，直到那時才終於有了自己孕育一個生命的踏實感受。藍婻淇雙手輕輕地擺在隆起的肚子上，突然感到眼眶濕潤，眼淚不自覺地掉了下來。她想起了那個早夭的孩子，想起了張信輊。

塵封已久的往事，像被時間的風翻頁的舊記事本，時間突然被拉回到十八年前那個初秋夜晚，悶熱潮濕的空氣、消毒水的氣味、淺淺綠色的床單，還有病床上信輊面無表情的混亂臉龐。

後來，她沒去成信軽的喪禮，沒有送他最後的一程，一方面是身體不允許，另一方面則是喪禮只開放家屬，而她沒有受邀。藍婧淇以為過了這麼多年，自己早就釋懷了，但其實並沒有，事情從來都沒有真正的結束過，以前是、以後也是。原來她一直都在憑弔著從前，她從來都沒有跟他好好告別。那通她沒接起來的最後一通電話，她欠了他一個回覆。

於是，她記起了遺憾招領中心。

當晚藍婧淇回了東湖的娘家一趟。雖然結婚後仍住在台北，也經常跟家裡聯繫，但像這樣一聲不響地跑回來卻是第一次，父母親嚇了一跳，她趕緊解釋只是回來拿個東西，不要擔心。

房間已經跟之前的樣子不一樣了，原本她與妹妹共用一間房，現在則成了妹妹專屬的房間，牆上的海報與牆角衣櫥全然換新，而原來睡的上鋪則成了她往事的收納處。那些沒有帶過去新家的，統統都留在那裡了，時間就像是在此處靜止了一樣。

正要踩上梯子時，藍婧淇才想到被叮嚀過許多次「不准爬高、搬重物」，她不是迷信的人，但相信科學。於是只好從側邊輕輕將箱子推到外側，然後翻倒，有個白色的小紙盒從裡頭滾了出來，正是她要找的東西。小心翼翼打開紙盒，裡頭是一個深藍色的戒指盒，內裡的金色布絨上躺著一枚戒指。張信輊給她的求婚戒指。

指腹輕輕觸摸著金屬的光滑質感，中央的鑽石閃耀著光，折射出七彩的光影，藍婻淇又感到一陣眼眶溫熱，想起了張信輊求婚時說的話：「妳不用現在就急著答應，等妳準備好了，再給我回答。我很有耐心，多久都沒有關係。」

當時來不及給的答案，現在給還來得及嗎？

離開娘家時，藍婻淇比來時更加茫然了。她不知道遺憾招領中心是否存在？甚至連自己要不要相信都無法確定。於是戒指從舊物箱裡擺到了抽屜，不過是換個場域被冷落。

真正下決定是因為常玉的展。八月盛夏最後一個週末，天氣熱得令人難耐，那時藍婻淇整個夏天都在地下街裡散步當作運動，當時在燈箱上看到了「相思巴黎：館藏常玉展」的廣告，主視覺是常玉名作〈荷塘〉，不過其中一角卻擺放了小幅的〈藍夜花豹〉。藍婻淇盯著那兩隻小白豹，想起了她與張信輊初見的畫面、初次約會的馬偕陸憍……於是她下定了決心，下個月剛好也是信輊的忌日，是該跟他好好道別了。

回到藝廊後，藍婗淇將戒指盒從抽屜拿出來裝進信封裡，在上頭寫下張信輊與自己的名字，時間則是1999090318000000，這是他下班的時間。預計在下週三拿去投遞。啊，那天也剛好是信輊十八年前發生車禍的日子，藍婗淇突然意會到。

從赤峰街到台北車站只有一站的距離，中間還有長長的地下街連接著，因此藍婗淇不打算搭捷運，而是打算步行。中山地下街這幾年重新整頓過，不過仍是不熱絡，沒有人會專程到這裡來，這裡仍只是一個點與另一個點的連接處而已。

她在五點零八分抵達台北車站的地下街，卻遍尋不著遺憾招領中心，「果然是騙人的」，正當這樣想的時候，一位紅著眼眶的女人吸引了她的目光，當她的身影由遠至近到與自己擦肩而過時，藍婗淇看見了不遠處有一個明亮的窗台，裡頭站著一位身穿黑色西裝手戴白手套的男子。

就是這裡了吧，遺憾招領中心。不知為何，藍婗淇心裡篤定地這樣想。

一九九九年

張信輕輕帶上父親辦公室的門，臉上掩飾不住喜悅，接著迅速拿出手機撥了電話給藍婌淇，想要跟她分享好消息。

「嘟……嘟……您的電話無人接聽。」

「應該已經下班了才對。」他嘀咕了一聲，看了看時間已經接近六點半，念頭一轉，乾脆直接去找她好了。

環顧四周，小小的辦公室內已經沒有人，只剩下十張桌子，還有層疊的文件擱在一角，辦公室外頭白天吵雜的印刷機聲響也已經停歇，窗外灰濛濛的一片正下著雨，就跟工廠的困境一樣。

遙想幾年前經濟還景氣的時候，廠房時常是整夜燈火通明，機械二十四小時不停歇地運作，堆疊出一批批的紙張，書本像山一樣幾乎頂到天花板，小時候這裡是張信輕的遊樂園，成天悠遊在書籍世界裡，第一次看到常玉的畫作也是在這裡。

這幾年印刷業的狀況越來越差，許多同行紛紛外移到其他國家，只是工廠內的員工許多都是在這裡工作了一輩子的人，年屆中老年，根本不易另覓工作。父親與老員工感情深厚，因此開始尋找其他的出路，前幾年的文創熱，公司開始印製書籍以外的產品，只是大環境不如前，僅能算是咬著牙撐下去。直到這兩年才發現熬不住，該轉移重心了。許多同業早幾年已經紛紛在越南落了地生了根，深思熟慮後，張霆堰也決定全力前往拓點，只是父親年邁，擔子自然是落到身為長子的自己身上。

張信輊很小就知道這是自己的命運。即使他再喜歡藝術，但仍是選擇了企業管理科系就讀，雖然過程中他不斷反抗，卻也深知這是曾祖父就開創的事業，容不下他的任性。父親的觀念傳統，講求傳子與門當戶對，再怎麼疼愛妹妹也不肯讓她接班。

車子駛出車庫，豆大的雨滴落在車頂上，發出波波波的聲響，隔著金屬聽，聲音像是蓋了棉布一樣沉悶。張信輊一直都知道婻淇對於父親來說是個冒險，只是研究所畢業後，他已經開始接手家裡的事業，父親對此滿意不已，因此他以為父親不會過度干涉他的婚姻愛情。自己退了一步，父親也該會退一點。

車子轉彎，路邊濺起一道長長的水花。

沒想到上次見面竟會如此收場，這是他所始料未及。不過現在婻淇有了孩子，他知道這並不是計畫內的事，但這些日子試圖溝通未果，或許是個替雙方解套的方法。

張信輊還記得父親聽到婻淇懷孕時臉上鐵青複雜的神情，一句話都沒說，掉頭就走，就跟那天吃飯一樣。直到今日，終於在下班前把他叫進辦公室，才有了談話。

紅燈。

張信輊停了下來，擋風玻璃上的雨刷不斷地掃著雨水，畫面一下清晰一下模糊，反覆交替著。雨實在太大了。

「這紅燈好久。」秒數從九十秒開始倒數。

趁空檔張信輊伸手到公事包裡撈手機，想看看婻淇是否有回電或訊息，卻撈到一只信封。他不記得包包裡有信，拿出來一看，上頭的收件人確實寫了自己的名字，但一旁則是一串他看不懂的數字，寄件人的名字是藍婻淇。

「婻淇寫給我的信？」

打開信封，裡頭是一個戒指盒。張信輊一眼就看出這是他給婻淇的求婚戒指盒，但怎麼會在這裡？再打開盒子，發現金色絨布上光禿禿一片，上頭戒指已經不見了！

張信輕愣愣地看著空蕩蕩的戒指盒，幾秒後笑了起來。他懂了，這是婗淇的答案，她答應了求婚。戒指盒一定是昨天吃飯時，她偷偷擺進去的，張信輕喜上眉梢。

綠燈。

張信輕收好戒指盒，輕輕踩了油門，雨刷仍然唰唰地掃著，一下清晰一下模糊。突然間前方路口冒出一個小男孩，張信輕緊急踩了煞車，天雨路滑，車子突然失控打轉，在一聲巨響後停了下來。

嘩啦嘩啦……雨還在下著。

再次注意到時間，已經是過了半個多鐘頭以後的事。

藍婗淇從回憶的碎片中驚醒，趕緊抬頭看了一下，遺憾招領中心仍發著幽光，窗口上方的時鐘顯示著：五點五十八分。她撫著肚子、緩緩起身，步向櫃檯。

「請問是否有回信了？」

「請問您的名字是？」

「藍婻淇，藍天的藍、女有婻、水字旁的淇。」

洪皓點了點頭，手指在鍵盤上敲了敲，「叮噠——」電腦發出聲響，接著他抬起頭說：「有的，有您的回信。」

「真的嗎？」藍婻淇喜出望外。

「請稍候。」洪皓微笑再次點了點頭，轉身走向身後綿延成排的置物櫃，再回來時手上多了一份信件，藍婻淇一眼就認出這是剛剛自己寄出去的信封。

真的收到了……?!藍婻淇仍然覺得不可思議，她用顫抖的雙手接下信封，封口處的膠帶有撕開過的痕跡，裡頭與方才送出時一樣有著突起的硬殼物。藍婻淇迅速打開信封，急忙將信封內的物品倒出，幾乎無聲，落在掌心上的是個深藍色的戒指盒。

「看似荒蕪，實則閃耀，這是我對妳的愛，妳願意嫁給我嗎？」藍婻淇腦海浮現了這句話。

可是，打開後裡頭卻是空無一物！

「這真的是回信嗎？」藍婧淇怔怔地抬起頭看著洪皓，脫口而出這句話。

「怎麼了嗎？」

「裡頭沒有東西。」藍婧淇將戒指盒轉向洪皓，只有金黃色的絨布戒座。

洪皓疑惑地挑起眉，從來都沒有發生過物品沒有歸還的狀況，太奇怪了。

「戒指不見了嗎？還是什麼東西不見了？」

「不是，都沒有。」藍婧淇連忙搖著手：「沒有東西不見，本來裡頭就沒有擺放東西，只是怎麼沒有收到回信？」她早在送出戒指盒之前就已經把戒指取出來了。

「回信……？」洪皓終於懂了藍婧淇的意思，同時也感到鬆一口氣：「這就是回信了。」

「什麼意思？」

「會在此時收到回信，就表示對方已看過信，至於回應什麼，就不是重點了。」

「但來寄信的人，不是都是希望能夠收到對方的回覆的嗎？」

「重要的是，妳想要告訴對方些什麼，而不是對方回覆了妳什麼，對吧？」洪皓這樣說。遺憾招領中心，是為了要圓滿過去那些來不及的遺憾而出現。

藍婞淇懂了，洪皓說得沒錯，當初她之所以來寄信也不是全然都為了自己，而是希望信輕至少不會是懷抱著遺憾離去，這點才是唯一要緊的事。

只要他能夠接收到自己傳遞的訊息就足夠了，對此她懷抱著無限的感激。

藍婞淇收起戒指盒，再次道了謝，準備離開招領中心。一轉過身，發現前方不遠處迎面走來一個既熟悉又陌生的身影。

「張伯伯?!」像是夢境一般，藍婞淇睜大眼睛看著此刻正站在自己眼前的人。

「婞淇？」滿頭白髮的張霆堰也露了出訝異神情。

「張伯伯，……好久不見了。」像確認彼此身分似的，藍婞淇趕緊點頭問好。

「真是好久不見了。」

望著眼前的老人，藍婞淇有種超現實的感覺，彷彿一種時空跳躍的錯亂，以前存在但覺得再也不會有交集的人，突然出現在自己面前，一時反應不過來。即使方才她還沉浸在自己過往的記憶中，但回憶之所以稱為回憶，就是因為無法再追回。

「最近好嗎？」張霆堰露出溫和的微笑寒暄，然後看到她隆起的大大肚子時，再次露出詫異的神情，只不過這次很細微。

對於張霆堰的神態，藍婻淇感到有些不適應，這是她從未見過的樣子。在她的腦海裡，他們屈指可數的見面當中，張霆堰始終都是一個嚴肅不苟言笑的人。臉上的表情只有「面無表情」，又或者是，只有對她是這樣，特別是她。

伴隨著信輕的離開，張霆堰對藍婻淇來說，自然也是從此就會消失在自己生命中的人。沒想到竟然在多年後，再次碰面。

「男孩還是女孩？」張霆堰溫柔地問。

「還不知道，我私心希望是女孩。不過只要健康就好，性別不重要。」藍婻淇連忙回答。

「女孩子貼心，不過孩子真的平安健康就足夠了，其餘都是錦上添花而已。」張霆堰讚許似的微微連續點了好幾次的頭。

「我也這樣覺得。」藍婻淇微笑回應著，此時才能靜下心來仔細端詳眼前的人。除了滿頭的花白外，張霆堰的外貌跟十八年前差異並不大，同樣整潔體面的深色西裝與扁貝雷帽，當然是更加蒼老了，但是那種自然合理的時間作用，眼神仍炯炯有神。最大的不同只有手上多了一根枴杖，以及此刻神態的溫和柔軟。

「啊，瞧我忽略了妳是孕婦，竟然一直讓妳站著，那邊有椅子，快坐、快坐。」

「沒關係的。」

在張霆堰的堅持下，藍姷淇坐回了幾分鐘前離開的坐椅上，上頭餘溫已經散去。

「預產期在何時呢？」張霆堰也跟著在旁邊坐下。

「就在這兩週。」

「那鑾快的，一定是個健康的寶寶。」張霆堰笑呵呵地說著：「這麼久沒見，一切都好嗎？」

「都很好，幾乎可以說是沒有遺憾的那種好。」藍姷淇衷心地說著。

「真是太好了，最後一次見面應該是在醫院裡，很久了……」

「快十八年了。」

張霆堰定定地看著藍姷淇，點了點頭。

「張伯伯看起來身體也很硬朗，信輊一定很放心。」

「還可以、還可以。」張霆堰又呵呵笑了出來：「活到這把年紀了，有時候想的不是要替自己去完成什麼，而是還能夠做些什麼？」

在兩人對話的途中，突然傳來啪嗒啪嗒的細微跑步聲，是那種年輕少女特有的聲響，兩人抬起頭一望，看到一位身穿制服的少女正跑向遺憾招領中心。張霆堰看到少女的身影停頓了幾秒若有所思，一會兒才說道：「如果當初孩子能生下來的話，應該也差不多這麼大了吧。」張霆堰嘆了口氣。

「張伯伯……」突然提起這件事，藍婧淇有點不知所措。

可是當初您應該是不想要那個孩子的吧！

藍婧淇把這句到嘴邊的話嚥了下去，現在說這些又圖什麼呢？她跟張伯伯不過是不小心又交會的兩個人而已，各自有各自的人生難題，何必要再增添無謂的困擾。這是這幾年時間教會她的事，不為難回憶，珍惜現在。

「汶旻，還有翰哲。」

「張伯伯，您說什麼呢？」

「如果是女生就叫汶旻，男生就叫翰哲，其實當時我已經想好名字了，呵呵。」張霆堰眼光投向前方，但眼神卻像是凝視著未知。

「什麼？」藍婧淇輕驚呼出聲，一臉不可置信，雙手緊緊摀住了嘴巴：「您是想要那個孩子的嗎？」

「說什麼傻話，當然。我可是很期待抱孫子的。」

「我以為……」眼淚突然從藍婧淇眼眶中湧出，開始口齒不清。張霆堰見狀趕緊拿出手帕遞到她手上。

「看來信輕當時來不及告訴妳這件事，我跟他做了條件交換：你們婚後，他至少能夠先去越南兩年，之後再看是他要回來或是妳跟孩子過去。」張霆堰神情轉為抱歉：「很抱歉讓妳傷心這麼久。」

「張伯伯，謝謝您跟我說這些……謝謝您……」藍婧淇滿臉淚水不斷道謝。

「我知道當時自己對妳並不友善，希望妳可以原諒我這個固執的老頭。」張霆堰只是拍拍她的肩安慰著。

往事從來都不會過去，你能做到的只是跟它們和平共處而已。接受它們的存在，然後跟自己和好。

「謝謝您……」眼淚還是沒有停歇。

輯3

畢業紀念冊

每個人都是互相影響的，
重要的是，對自己來說
什麼才是「真正重要」的事物。

下午六點零三分

藍婍淇離開後，張霆堰杵著拐杖漫步走向遺憾招領中心的櫃檯，窗台前一個小小的三角立牌上寫著「遺憾招領中心・收納員：洪皓」。

而方才身穿制服跑過去的少女，此時正在櫃檯前說著話。

「叩、叩，請問穿黑西裝的先生，信退回來了嗎？」少女假裝敲門。

「退信不會這麼早回來。」聽到這樣的稱呼，洪皓依舊口氣平和。

「為什麼？我等了一個小時了耶，那還是可以用我的名字查看看？」少女持續耍賴，書包一角的吊飾上寫著「艾珉」。

「妳為什麼那麼在意那些信？裡面不是妳的東西啊。」洪皓有點好奇。

「我就是在意嘛，不行嗎？」

「行、行、行，妳要在意可以，但不要干擾到其他的人。」

「其他的人？……啊！」艾珉回頭發現張霆堰站在身後，她認出了那頂貝雷帽並發出驚呼，隨即退到一旁。艾珉的反應讓洪皓挑起眉，但仍不動聲色地招呼來者。

「您好，這裡是遺憾招領中心。」

「你好，我是來取信的。」張霆堰說。

洪皓不認得這位老先生，至少今天他沒有來寄信，那麼，是以前寄的嗎？

「好的，麻煩請告訴我您的名字。」

「張霆堰，弓長張、雷霆的霆、堰塞湖的堰。」

叮噠——螢幕顯示出了相同名字。

「有的，有您的信件……」

叮噠——電腦再次發出了聲響。

洪皓又看了螢幕一次，同時有兩封回信?!這是從來沒有遇過的事。

「您有兩封回信，請稍候。」從螢幕上的資料顯示，這是今天來投遞的信件，如果老先生沒有來過，那麼就是艾珉撿到的那幾封信了。

洪皓偷偷看了艾珉一眼，她正在一旁嘟著嘴生氣。

「兩封？」

「是的，請稍候。」語畢洪皓便轉身走向身後的成排置物櫃，接著從其中一個櫃子裡取出了兩封信件：「您好，這是您的信件。」
「只有兩封嗎？」
「對。」
「但我總共寫了三封信……」
「有可能是另外一封還沒有回信。」洪皓也記得艾珉當時是拿了三封信件過來：
「您可以晚點再來看看。」
「這樣啊……謝謝你。」接過信件後，張霆堰翻閱了一下。
靜默了幾秒後，張霆堰拿起其中一封裝著疑似精裝書的包裹，遞給在一旁的艾珉：「這是妳的信。」
艾珉驚訝地看著眼前這位神情和藹的老先生，洪皓也露出不可思議的表情。
「妳的名字是不是叫『墜艾珉』？」
艾珉愣愣地點了點頭，身體像是定格似地一動也不動。
聽到此話的洪皓則是睜大了眼睛，現在終於才懂了，為什麼艾珉一直這麼在意那些信，因為裡頭有一封信是跟自己同姓。「墜」是個很少見的姓氏，她才會如此介意吧，就連他都是第一次看到。洪皓壓根就沒有想到艾珉只是她的名。

詐騙集團……？墜艾珉突然閃過這的想法。

「我不是壞人，我姓張，叫我張爺爺就可以。」張霆堰接著又說：「這封信是我替妳寄給你父親的，他的名字叫『墜珉詰』，對吧？」

「對……」墜艾珉傻傻地點頭。

「那就是給妳的信沒錯了。」

「這真的是給我的嗎？為什麼……」聽到父親名字讓墜艾珉稍稍鬆懈，她伸出雙手，不過仍遲疑地看著眼前的老先生，對他的話感到半信半疑，猶豫著要不要收下。

「是的，並不是什麼昂貴的東西，也不是什麼奇怪的東西，放心。」張霆堰邊說邊堅定地把信件放到她的手上：「收下吧。」

「嗯。」墜艾珉這才怯怯地接過，正準備拆開信的時候，同時腦海中也浮出了另一個疑問：「可是……張爺爺要什為要做這件事呢？」

稍微冷靜一點後，墜艾珉再仔細思考，一個陌生人不僅知道自己的名字，也知道父親的名字，無論怎麼想都不合理，甚至是有點太恐怖了。雖然張爺爺說他們見過面，但也有可能是謊話想要安撫她而已。而且無緣無故幫她寄信這件事，真是太奇怪了，難保沒有什麼意圖。

張霆堰盯著她看了幾秒，彷彿讀出了墜艾珉的心思，於是輕輕嘆了口氣說：「為了彌補遺憾。」

「遺憾……？」墜艾珉歪著頭，對於他的話一時無法理解。一個陌生人會知道她有什麼遺憾嗎？

「妳沒有見過他，對吧？」

「他？」

「妳的父親，他在妳出生前過世了，對不對？」

「張爺爺怎麼會知道這件事？」墜艾珉不可置信，想起死去的父親，又不自覺紅了眼眶。

「所以我才替妳寄信，希望可以彌補妳的遺憾。」

「我無法看到父親的遺憾？」

「彌補你們無法相見的遺憾。」張霆堰笑著點點頭。

「但為什麼要替我這麼做？我跟張爺爺並不認識。」

「因為我也有自己的遺憾，希望世界上的遺憾可以少一點。」張霆堰說，接著又補充：「再說這裡是公共場所，所以妳不用擔心我會做什麼奇怪的事。」

這次墜艾珉終於被說服，安心地接下信。「謝謝張爺爺。」

「快拆開看看吧。」張霆堰催促著。

墜艾珉小心翼翼地打開封口，裡頭果然是一本書。但拿出來一看，卻發現有點眼熟，這是一本畢業紀念冊，封面上寫著：南港高中．第十六屆畢業紀念冊。

「張爺爺，這不是我的畢業紀念冊嗎？」墜艾珉抬起頭，困惑更深了。

「爸爸」這個詞彙的概念，墜艾珉是一直到上了小學時才有。

她一出生就失去了父親，家裡只有媽媽，偶爾有爺爺奶奶或外公外婆。沒有父親這個角色，對她而言是很自然的狀態。甚至當她第一次在幼稚園發現其他同學有一個媽媽與一個爸爸時還感到疑惑。一直以來她都只有媽媽，她以為大家都是這樣。

「為什麼別人有爸爸？」

「珉珉也有啊，只是爸爸不在了而已，但妳是有爸爸的喔，而且爸爸一定也會很疼妳。」

「真的嗎？」三歲的艾珉聽了眼睛發亮。

「爸爸一定也會跟媽媽一樣喜歡珉珉的。」

「那我也會喜歡爸爸。」

等到長大一點，她才明白自己當時之所以不吵不鬧，不只是因為年紀小的懵懂，更是因為母親給予了她充足的愛，她從來都不覺得自己有什麼匱乏。因為不缺，所以就不怨，或是根本無從埋怨起。

「我把要給爸爸的愛全部都給珉珉了。」母親不只一次摟著她這樣說。

相較於來自母親充沛的愛，周遭人們投以的異樣眼光，反而才使墜艾珉感受到自己是「沒有父親的小孩」。小孩子是很敏銳的生物，刻意不在她面前提到「父親」兩個字、比對待其他人更多的和藹，或在她背後的竊竊私語，她其實都看在眼裡。

雖然她沒有父親，也從來不知道有父親是什麼樣的感覺，但卻清楚沒有父親的感受是什麼。就像是有個東西壓在胸口，不時會喘不過氣。

五歲的時候，有一天媽媽忽然帶了一位陌生的叔叔回家吃飯，媽媽要她喚他「陳叔叔」。她聽話喊了一聲，陳叔叔摸了摸她的頭說她很乖。之後，陳叔叔便不時出現在家裡頭，有時候會帶玩具糖果給她，甚至還會陪她讀故事書。每個孩子都喜歡有人陪，尤其對於沒有其他兄弟姊妹的墜艾珉來說更是，漸漸地，她習慣了有陳叔叔作陪的日子。

直到七歲那年，媽媽突然跟她說：「以後要改叫陳叔叔為『爸爸』喔。」墜艾珉一臉疑惑，為什麼叔叔會變成爸爸？這個爸爸就是媽媽以前說的那個「會很喜歡我」的爸爸嗎？朦朧中，她像是懂了什麼，但卻又看不清楚。

「不要勉強珉珉，一下叔叔一下爸爸，她會搞混的。」陳叔叔又摸了摸艾珉的頭：「珉珉，妳想叫叔叔或爸爸都可以。」

那時候開始，墜艾珉才慢慢理解了爸爸是什麼。而她早已經不知不覺適應了陳叔叔存在於生活中，除了稱謂轉變，陳叔叔比以往更常出現在家裡外，其餘都沒有改變。於是她一邊懷抱著困惑但一邊卻接受了，當時連提出質疑的能力都沒有，雖然她知道自己還有個從未見過面的爸爸。

在那之後，墜艾珉還是喊他「陳叔叔」，改不過來。她第一次開口叫他「爸爸」，其實是有意識的行為。

因為她多了個弟弟。

「妳不是一直想要個弟弟或妹妹？媽媽肚子裡有了弟弟。」在九歲的時候，媽媽摸著她的臉頰說，她至今還記得媽媽暖呼呼的手掌。

墜艾珉開心死了，以前看同學有兄弟姊妹可以一起玩家家酒，羨慕得不得了，一直央求著媽媽再生一個妹妹或弟弟，但媽媽只是苦笑。現在終於有了。隔了一年多，當弟弟學會講話時，媽媽又宣布懷孕了，一樣是個男生。墜艾珉有點失望，不過沒關係，弟弟也很好。

而在大弟學會叫爸爸時，她終於也改了口，把「陳叔叔」置換成了「爸爸」。媽媽很開心，「爸爸」更是。當時墜艾珉十二歲，準備上國中。

只是這樣開心的情緒偶爾也會伴隨著其他的感受，就像是潛入水底，耳邊傳來呼呼悶聲，干擾著她。

起初，墜艾珉並不知道這些情緒是什麼，後來才懂了原來是寂寞。當看到弟弟們與母親、爸爸相處的時候，有時候她會感到有點恍忽、無法融入。雖然她與他們都相處得很好、雖然她喚陳叔叔為爸爸了，而他也待她跟弟弟一樣好……但她身上總會出現一層名為「局外人」的薄膜，再親近也無法真的靠在一起。

而越是看到弟弟們親暱地貼在爸爸身上時，越是提醒了她的欠缺，加倍令她想起了自己的父親。即使他們沒有見過面，但自己身上總有一部分源自於他，那時候墜艾珉才意識到，無論外在多麼寬裕，她的內心深處始終有一塊不大不小的缺角。她時常問著「為什麼？」除了是探索世界的方式外，也像是在填補心裡的空。

於是，她開始主動央求母親講述關於父親的事，尤其是在看到弟弟與爸爸的相處場景之後。大多數關於父親的種種，墜艾珉都是從母親那裡所得知，家裡從來也都不忌諱談論這些事。為了避免混淆，墜艾珉自己默默將生父稱為「父親」，陳叔叔則是「爸爸」。母親也堅持要她保留原姓，不要她改姓陳。

父親的名字是「墜珉詰」，跟媽媽是同事，他們是職場情侶，母親給了她一張父親的相片，上頭的他看起來是個斯文靦腆的人，微微笑著，笑起來眼睛像彎月，墜艾珉覺得自己像爸爸。

「不要忘記妳父親的樣子。」母親常笑著這樣說，眼裡卻閃著一絲淚光。

不是經常，但母親有時候會拿出父親當年寫給她的信，跟墜艾珉講起以前的故事，父親的字端正工整，一看就是好學生的樣子。

墜艾珉有時思念起父親，會忍不住想著，要是父親還在的話，她跟他的相處會是怎樣？是否會像弟弟與爸爸一樣要好？她多麼想親眼見到父親、聽聽他說話，也想讓他看看自己現在的樣子，不只一次聽母親說過，父親很期待自己的誕生。

只是，沒見過的人，要從何想念起？這樣的想念，稱得上是想念嗎？她困惑了。

而她跟母親唯一的一次劇烈爭吵也是因為父親。

「媽，今年我就滿十八歲了，我想要慶生。」兩週前，墜艾珉這樣對母親說。

她從沒與母親一起慶祝過生日，印象中小時候在她生日當天，外公外婆都會提著她最愛的巧克力與禮物來為她慶生，但母親永遠都會缺席。那時候她以為是母親忙於工作的緣故，但再大一點才偶然發現，原來自己的生日與父親的忌日是同一天。

母親不能在自己丈夫死去的那天慶賀。

墜艾珉從來沒有計較過這件事，她有外公外婆和同學幫她慶生就夠了。只是，就連兩個弟弟也都沒有辦法在家慶生。她在意的是這件事。

雖然是同母異父、雖然她偶爾會忍不住嫉妒弟弟，但總歸來說，她仍是疼愛兩個弟弟。現在大弟已經快十歲了，看到同學在生日時可以收禮物、吃蛋糕、享受家人的寵愛，開始央求著要過生日，只是母親仍然不肯，爸爸只能私下偷偷買禮物給他，不敢特別張揚。母親睜一隻眼閉一隻眼，這是她的讓步。

弟弟不明白無法過生日的原因，但墜艾珉清楚知道，是因為自己的關係，才會害他們無法在生日時慶賀。這是她母親的公平，但對弟弟來說，一點都不公平。

「妳可以跟同學一起過，沒問題啊。」母親邊折著衣服邊笑說。

「為什麼？我想要我們全家一起過。」墜艾珉也拿起衣服開始幫忙折。

「妳知道我們家沒有過生日的習慣。」

「我知道，但我也知道為什麼，是因為父親……」

「對，是因為妳父親的關係。」母親插嘴：「既然知道原因，就應該可以理解了，不是嗎？」

「媽……」墜艾珉試圖撒嬌：「但我十八歲了耶，妳不是說我已經要成為大人了嗎？應該要特別慶祝一下呀。」

「媽媽贊助妳生日金，妳邀幾個好朋友一起過，好不好？」

「媽……我也想跟你們一起過嘛。」

「說了我們家沒有這樣的習慣。」

「媽……拜託啦……」

「不行就是不行。」母親突然疾言厲色：「這件事沒得商量。」

墜艾珉的眼淚婆娑掉了下來。

「為什麼別人都可以慶生，只有我們沒有……」墜艾珉啜泣著：「因為我的關係，害弟弟也不能慶生！妳什麼都不懂！」語畢便奪門而出。

追上來的是爸爸。

「珉珉。」

「爸……」坐在公園長椅上的墜艾珉抬起頭看了一眼，隨即又低下，不想讓爸爸看到自己的眼淚。

「媽媽有她的難處。」爸爸在她身旁坐下。

「我也有我的，我也失去了父親，不是只有她。」

「這不是比賽。」爸爸說：「剛跟妳媽媽交往時，我就知道妳父親的存在了。」

「媽告訴你的？」

「因為妳。」

「我？」

「因為妳的存在，說明了一定有個人曾經存在於妳媽媽的生命裡。」

墜艾珉頭低低的，爸爸輕拍了拍她的頭。

「我曾經也嫉妒過喔，那種感覺像是生活裡多出了一個人，更慘的是，那個人已經不在了，但你卻始終會感受到他的存在。」

墜艾珉抬起頭望著爸爸，雖然偶爾會與爸爸聊起父親的事，但這是爸爸第一次說出自己對他的感受。

「妳知道後來我是怎麼學會不在意的嗎？」
「不知道。」墜艾珉搖了搖頭。
「因為我知道妳媽媽愛我。」爸爸說：「可能說不上是真的接受了她以這樣的方式紀念妳父親，但至少我可以確定，我接受妳媽媽這樣一個人的存在。」
「你的意思是，父親就包含在媽媽裡面嗎？」
「對，每個人都有自己面對傷痛的方式，那是妳媽媽的，我們無法替她決定那樣的方式好不好或對不對？有天她可能會決定結束這樣的方式，但也可能不會。」
「那怎麼辦？」
「我們只能等，然後看看答案是什麼。」
「但這樣不是太消極了嗎？這樣的方式影響到我們了。」
「每個人都是互相影響，最重要的是對自己來說什麼才真正重要。」
「爸……」墜艾珉表情似乎懂了什麼。
「我們回家吧。」爸爸笑著說。
「嗯。」墜艾珉輕輕點了點頭。這是她最喜歡爸爸的一點，他對待她就像是對待兩個弟弟一樣，犯錯了會被指責、做得好會被讚美，需要的時候講道理，沒有特別多也沒有特別少，而墜艾珉覺得這樣很好。

她不是個特別的存在，只是個一般的存在。

也或許就是因為這樣的公平，將墜艾珉稍稍從掙扎困惑的父親愛當中拯救出來，讓她免於恐慌。即使無法真的彌補缺角，但至少有了喘息的空間，爸爸讓她知道，他從來都沒有要將父親從她生命裡抹去或是試圖想要取代，爸爸接受了父親這個人的存在，如同他在母親生命裡一樣。

回到家中時，母親已在自己的房間，坐在床沿，膝蓋上擺著一個小紙盒。

「媽……」墜艾珉怯怯地喊了一聲。

「把臉擦乾淨，髒得跟花貓一樣。」母親的態度柔軟了起來，遞了面紙給她，同時拍了拍身旁的位置。

墜艾珉接過面紙，在母親身旁坐下。

「對不起，我沒想到會傷害了你們。」母親說。

「媽，對不起，是我太任性了。」說完墜艾珉又哭了。

「我都忽略了，其實妳也很想念妳的父親。」

「嗯！」艾珉用力點點頭，淚水落到膝蓋上：「可是……他說話的聲音是怎樣、笑起來又是怎樣，有時候我連要如何想念他都不知道，很難過……」

「我給妳看一樣東西。」母親轉身從抽屜裡的盒子拿出一張泛黃的相片，墜艾珉最先是認出父親的樣子，跟著才發現旁邊的女人是年輕時候的母親。相片中母親正躺在白色病床上，一側有台超音波儀器，她的肚子明顯隆起，而父親的手正在擺在母親的肚子上，一臉燦笑。

「這是妳跟妳父親的合照。」母親指著相片上超音波儀器螢幕上黑壓壓的形狀說：「這是四個月的妳喔。」

墜艾珉拿起相片仔細端詳著，一臉著迷，試圖從模糊的螢幕中看出自己的存在。

「妳父親每天晚上都會對著妳說話喔，他會跟妳分享今天發生的事，當然也要妳不要調皮搗蛋順利誕生。他總是用很溫柔的聲音跟妳說話。」

「真的嗎？」

「當然是真的。妳知道我們是努力了很久才有了妳，妳父親當時開心死了。他常常說，只希望妳健康快樂就好。」
這段故事墬艾珉之前就聽過，她是父母親努力了很久才有的孩子。結婚之後母親一直無法懷孕，後來做了檢查，試了一連串各式各樣的療法，就連人工受孕與試管嬰兒都嘗試了。
「但妳不是試管嬰兒噢，沒那麼酷。」當時講到這件事時，母親笑著這樣說：「當時正要進行第三次試管嬰兒，我跟妳父親就討論這是最後一次了，若再沒有，就是我們的命。第三次失敗後，我們認真思考是否要領養小孩時，就發現懷上了妳。」
墬艾珉一直覺得，一定是上天感受到父母親的努力了。
「媽，」墬艾珉凝視著相片父親的臉孔。
「怎麼了？」
「我一直都想知道，父親是怎麼去世的？我知道是意外，但是什麼樣的意外？」
沉默了幾秒後，母親才開了口：「車禍。」
「車禍？」
「那天晚上下著大雨，視線不好，被對向來車給撞上了。」

墜艾珉突然意識到一件事，自己出生的時間是深夜十一點多，而父親發生車禍的時間是在晚上，難道……

「父親是因為要趕來醫院看我而出車禍的嗎？」墜艾珉說著眼眶又紅了。

「妳是我們的禮物。」母親擦去她臉上的淚痕，溫柔地說：「妳父親跟妳簡直是在玩接力賽，所以妳才繼承了他那雙會笑的眼睛。」

「媽……」

「妳知道妳的名字是怎麼來的嗎？」

「不知道。」

「妳的名字『艾珉』，就是取妳父親的名字『墜珉詰』與我的名字『許艾怡』中間各一字所組合而成。妳永遠都是妳父親的女兒，妳永遠可以大方地想念他。」

「媽……」墜艾珉抱著母親嚎啕大哭。

「今年我們全家就一起慶祝妳的生日吧。慶祝珉珉變成大人了。」

「謝謝媽。」墜艾珉緊緊摟住母親。

只是最遺憾的，是自己從來都沒有見過父親、母親也來不及和他見最後一面，而父親不曾有機會親眼看到她。

□

「今天就是我的生日了。」墜艾珉睜開眼看到窗外灑進來的陽光，心情大好。門外傳來窸窸窣窣的嬉鬧聲，是兩個弟弟的聲音，看了時間，現在是上午九點，今天也是自己暑假的最後一天，明天開始她就是大學生了。不過開學日前，她還需要先回高中辦理一些離校手續。

墜艾珉起床，一踏出房門兩個弟弟就親暱地貼過來七嘴八舌喊著「姊姊生日快樂」，甚至比她還興奮。這畢竟是他們第一次和家人一起大肆慶生。迅速盥洗完畢後，她站在衣櫥前面思考許久，最後穿上了高中制服與背包。

「怎麼穿了制服？」要出門時，爸爸這樣問，今天他休假在家。

「當最後一天的高中生，明天就不是了。」

「珉珉要變大人了。」爸爸笑著提醒：「路上小心，晚上吃飯別忘了喔。」

「嗯，七點半餐廳見。」

不過到學校前，墜艾珉還有一件事想做。

她先是搭乘捷運到紅樹林站，然後轉了公車到金山，她想要去見父親。今天是他的忌日。

位在半山腰的靈骨塔，白色的外牆莊嚴肅穆，可以遠眺淡水河岸，園區內種滿花草樹木，有種寧靜的氣氛。之前她與母親來過幾次，但這是第一次單獨前來。墜艾珉記得父親的塔位樓層與位置，換了證，她將在路上購買的鮮花放在地藏王菩薩案桌前，先祭拜過了之後，便直接前往父親的塔位前。

靈骨塔寄存的場所是一排又一排佈滿格子的櫃子，每個金黃色的櫃面上有一朵蓮花的浮雕，下面標示著編號與往生者的名字。很奇怪，墜艾珉從來都不怕這裡。很快地，她就在一列列的櫃子中找到了父親的塔位。

墜艾珉拿出紙巾擦拭了蓮花浮雕，接著閉上眼睛雙手合十跟父親講話：

「爸，我來看你了，不知道你在那邊好不好？我明天就要上大學了，我很認真讀書喔，你應該很高興吧？今天是我的生日，晚上要跟媽媽他們一起過生日，這是第一次喔，兩個弟弟好像比我還興奮……」邊說不自覺就紅了眼眶。

離開金山回到市區是午後兩點多，再到學校辦完手續後已經是接近五點了，時間還來得及，墜艾珉打算先回家一趟換便服後再去餐廳。

在安靜的捷運上，她聽著音樂滑著手機，因為連續三年幾乎每天都是從固定的兩點來回，所以墜艾珉早就養成用時間來計算距離的習慣。在列車抵達善導寺站時，一位老先生坐到了她的身邊，但他卻在台北車站下車時不小心把東西給遺留在座位上。

墜艾珉愣了一下便抓起紙袋衝下捷運，但卻遍尋不到老先生的蹤影。在別無他法的狀況下，墜艾珉只好尋找招領中心，就當她被像是迷宮般的地下街搞得七葷八素的時候，耳邊傳來了「您好，這裡是遺憾招領中心。」的聲音。

她終於找到招領中心了。但……好像不是一般的招領中心。

一九九九年

「地面終於乾啦。」一踏出門口，墜珉詰把手機收進口袋看著乾爽的馬路說著。

今天銀行特別繁忙，因為連日下雨的關係，好不容易上午才雨停了，所以大家紛紛出門來辦事情，來的客人幾乎是平常的兩倍，大廳長椅坐滿了等待的人，還有許多人是站著，號碼牌的等待人數一直保持三十人以上。

一早進來就忙到現在，連喝口水的時間都沒有，終於現在告一段落可以稍稍喘口氣。忙碌的時候不感覺餓，此時飢餓感襲上，他才記起自己根本沒有吃午餐，不過雖說是午餐，也已經四點多了。銀行是看天氣臉色的行業。

「就是這幾天了，對嗎？」一同出來用餐的同事蔡時凡，與他並著肩走路時這樣問道。

他們在同期一起進入銀行，因此感情特別好，只要時間搭得上都會一起吃午飯，有狀況也會互相幫忙。同期進銀行的還有現在是自己妻子的許艾怡，墜珉詰第一眼就喜歡上她了，當時還是蔡時凡幫忙他寫信追人。八年前他們要結婚時，蔡時凡虧他

「現在總算不用整天再被你煩了」。

「對，就是這幾天。」墜珉詰回：「艾怡這兩週已經休產假回家了，我緊張到每天都胃痛。」

「哈哈，放心啦，沒事的。」

「畢竟是期待很久的孩子。」

結婚之前，墜珉詰與艾怡便有共識，婚後不避孕，有孩子就生下來。他喜歡孩子，加上自己是獨子，沒有兄弟姊妹一直是他的遺憾。因此他想像中的幸福家庭，除了自己和妻子外，還要有幾個孩子。

可是一年、兩年過去了，仍是沒有動靜；到了第三年，他們開始到處拜拜詢問偏方，希望能夠順利懷孕。在第四年時，墜珉詰主動提議去做身體檢查。許艾怡的報告先出來，一切正常；幾天之後墜珉詰的報告出來了，發現精子數量不足，為了進一步確認，接下來又連著幾個月數次的不同檢驗分析：血液荷爾蒙分析、輸精管攝影術、染色體分析等，最後終於確認為「無精症」。

檢驗結果大大打擊了墜珉詰，但醫師說有可能藉由治療來改善，並非沒有自然受孕的可能。只不過等待的過程是一種煎熬，後續的相關治療更是對信心的消耗。各式各樣的療程嘗試，一次次期待又一次次落空，身體也漸漸產生了副作用。

到了第六年，醫師開始建議進行人工受孕，然而接連失敗了三次，他們仍不放棄，進一步嘗試了試管嬰兒。即使過程耗費心力又所費不貲，積蓄幾乎全數都花在這裡，但他們夫妻倆仍努力不懈，對此，墜珉喆充滿感激與不捨。

其實墜珉喆很明白，自己對孩子的渴望大於艾怡。但或許正因如此，她反而比較能保持平常心面對一次又一次的失敗。每次不如意的結果出來，當他一臉沮喪時，都是她第一個問他：「再試一次？」彷彿看穿了他的心思。

墜珉喆一直覺得，在他們之中最堅強的是艾怡，通過這個考驗的也是她。她選擇支撐著他，墜珉喆很清楚這件事。

不過到了最後，決定終止的卻是他。

當時就連試管嬰兒也已經嘗試了兩次，正準備要進行第三次。看著許艾怡從診間出來，蒼白著一張臉仍然勉強擠出笑容時，墜珉喆覺得自己的心快碎了。不管是人工受孕或是試管嬰兒，女性身體承擔的負荷遠遠超過男性。

「艾怡，這次試完再不行，就放棄吧。」在病床上時，墜珉詰握著許艾怡的手這樣說。

「為什麼？你不是很想要自己的小孩？」

「對，但顯然這件事不是我們能決定的，我覺得可以了。」

「可以什麼了？」

「可以往前走了，不要再停在這裡了。日子我們兩個一起過也不會無聊。」

許艾怡沉默不說話，她心裡非常明白丈夫有多渴望小孩，所以才會努力撐這麼久，花了這麼多年青春、這麼多金錢，滿足他的想望。這是她對他的愛。

「珉詰……」幾秒後她終於才開了口。

「這樣我們就可以有更多錢去旅行了，妳不是一直很想去北歐嗎？等妳身體復原我們就去。」墜民詰滔滔不絕地講著日後的生活。

「你覺得我們領養小孩如何？」

「什麼?!」許艾怡的話讓墜珉詰有點驚訝。

「我們領養小孩。」

這次換墜珉詰沉默了。

「不想要沒有血緣關係的孩子嗎？」許艾怡猜測著。

「不是、不是，」墜珉詰連忙否認，他喜歡孩子，在意的不是這件事：「只是……這樣對妳不公平。」

「不公平？怎麼會？」

「因為無法生育的明明是我，但妳卻被迫無法擁有自己的孩子。」

「噗哧——」墜珉詰的話讓許艾怡忍不住笑了出來：「你這個笨蛋，竟然在擔心這件事。」

「是真的嘛……」

「只要我們能真心愛他，就是我們的孩子。」許艾怡握住墜珉詰的手認真地說。

「真的嗎？妳真的願意？」

「真的。」

「謝謝、謝謝妳……」墜珉詰紅了眼眶不斷道謝。

或許那句「只要能夠真心愛他的，就是我們的孩子」起了鼓舞作用，三個月後許艾怡便發現自己懷孕了，是個女孩，而預產期就在這個月。

「一定是個健康的寶寶。」蔡時凡用力拍了拍墜珉喆的肩打氣。

「謝謝。」

簡單用完午餐後，墜珉喆趕緊回到銀行繼續完成工作。雖然表定是三點半就打烊，但銀行內的作業並沒有就此結束，客人離開後仍要留下來處理後續事宜，有時候還會忙到晚上，例如最近比較忙碌，常常是七點才下班。

走進員工休息室，不甚寬敞的空間有幾張桌椅，角落還散落著幾箱文件資料，雖然說是休息室，但某種程度更像是不定期暫時放置雜物的倉庫。除此之外，休息室內佔據最大面積的是靠牆處成排的個人置物鐵櫃。銀行規定私人物品不被允許帶進銀行櫃檯，所以上班前都會將物品擺放在此。

打開置物櫃時，墜珉喆再次查看了手機，確認沒有新的來電。這幾天只要有一有空檔，他還是會來檢查手機看看是否有什麼新訊息，處於備戰狀態。

準備把手機收回公事包時，突然觸摸到緊貼在公事包與鐵片隔板之間有一個堅硬的物品，墜珉喆疑惑了一下，他不記得自己置物櫃裡有這樣的物品。抽出來一看，發現是一個包裹信件，上頭沒有貼郵票、也沒有地址，只有一串奇怪的數字，但收件人的確是自己的姓氏。

「張霆堰……」墜珉詰默唸著寄件人的名字，努力要從記憶中尋找出相關的臉孔，但仍是沒有印象，猶豫著是否該拆開。

難道是以前服務過的客人送來的禮物嗎？現在早就不流行送禮了，公司也嚴格禁止收禮的行為。可是置物櫃是關上的，除了自己外，就只有主管擁有鑰匙，難道是主管放的？

墜珉詰輕輕摸著信封裡的物品，只能勉強猜出是一本精裝硬殼的書籍，現在是九月，難道是明年的年曆記事本？今年送得真早。跟著他突然靈光一閃，之前主管有提過要將自己孩子當年的童書轉送給他，難道是童書？念頭一轉興奮地拆開信封。

「……畢業紀念冊?!」打開後，墜珉詰愣愣地看著。

不是童書？會不會是擺錯地方了？但信封上確實是自己的姓氏沒錯，再仔細看，封面上寫著「南港高中・第十六屆畢業紀念冊」，墜珉詰認真回想，怎樣也想不出自己與這所高中有什麼關係。

畢業紀念冊不是緊閉的，微微地開著口，裡頭還夾著一支筆，墜珉詰直覺地翻開那一頁，發現裡頭夾有一張小小的便條紙寫著：

墜先生您好，

冒昧打擾了，我們班上正在比賽誰的畢業紀念冊上的簽名比較多，而且要找到同姓的人才算數，但因為我的姓氏少人有，所以同學說只要找到一個就算一百個簽名。託伯伯才終於找到了您，如果方便的話，是否可以寫幾句祝福的話給我，謝謝。

墜艾珉　敬上

這下終於解答這本冊子為何會出現在自己的櫃子裡了，她口中的「伯伯」想必就是自己的上司吧。墜珉詰想起自己學生時代，當時拿著畢業紀念冊也會遇到誰就叫誰簽名，不管認識與否，而從來也沒有人會拒絕這樣的請求。

在畢業紀念冊上簽名，是一種儀式，不只是紀念，更是告別與祝福。

既然都指名道姓要自己祝福了，那就恭敬不如從命吧。墜珉詰拿起筆、撕開便條紙準備翻到扉頁簽名時，突然被便條紙底下的女孩大頭照吸引住目光：

「墜艾珉……」就是請託自己簽名的人，而且此時他才注意到，不只是姓，在她的名字裡竟然還有一個字是跟自己一樣，真是太有緣了。

女孩樣貌清秀淺淺笑著，一頭烏黑的長髮，看起來是個愛笑的開朗女生，其中最引起他注意的，是她那雙會笑的眼睛，跟自己有點像。墜珉詰越看越覺得這女孩有自己的眼緣，忍不住想像：即將要出生的女兒，長大穿起制服會不會就是這模樣呢？

轟隆——突然一陣雷響中斷了墜珉詰的思緒，探頭一看，又下起雨了。他順手把紀念冊翻到扉頁，迅速地寫下幾行字，遲疑幾秒後，又補了一句話，然後將它裝進信封擺回置物櫃內。晚點再詢問主管這本冊子是不是他放進去的。

正要闔上置物櫃時，手機響了，墜珉詰的心漏跳一拍，手忙腳亂翻出手機，一看來電顯示果然是自己的母親。

「喂，珉詰嗎？艾怡羊水破了，快生了，你趕緊到醫院來。」電話拿頭傳來焦急的聲音。

「好好好，我馬上去。」

墜珉詰匆忙抽出公事包就往門口衝，走出門口後又隨即折回，跑到主管面前喊了一聲：「艾怡快生了，我現在要趕去醫院。」主管笑著揮揮手要他快走。

「謝謝、謝謝，我要當爸爸了、我要當爸爸了……」

自動門開了又關，透過透明玻璃門扉，外頭灰濛濛一片，正被大雨淋濕。

「是的，這是妳學校今年的畢業紀念冊。」張霆堰平緩說出這句話：「張爺爺是開印刷廠的，這本冊子剛好是在我的印刷廠印製，無意中翻到了妳的名字在上頭。」

當年信輊離開後，讓他遭遇了非常大的打擊，生了一場大病，就連喪禮都無法參與，也中斷了他決意要前往越南設廠的心情。一直以來他的身體都很硬朗，不要說住院，就連感冒這類的小病痛也甚少，因此信輊的過世加上躺在病榻上虛弱的自己，幾乎是雙倍的打擊。

可是，最後讓他站起來的也是這場大病。住院第四天，隔壁床的男人便過世了，年紀不過二十來歲，張霆堰受了很大的震撼。在醫院的日子，看多了生離死別，也看多了求生不能與求死不得，突然間就不執著了。白髮人送黑髮人，也葬送掉了他的意氣風發與執念。

出院之後，他試著詢問女兒的接班意願，不出所料得到了「不願意」的回覆。一直以來他都是指望著信軒的接班，全力栽培他而不重視她，如今得到這樣的回覆也是自然的事，可是這卻也是他第一次尊重孩子的想法。

幾經思考後，便決定縮編僅留著小印刷廠自己管理，至少希望那些老員工別為以後的日子發愁。同時，也希望可以替兒子在那場車禍遭受到波及的人做點什麼。

那場車禍不只是影響了自己，更造成了許多家庭的破滅。

「可是，張爺爺不認識我啊，為什麼會馬上就認出我……」墜艾珉突然有點防備，身體稍稍往後退一些：「您跟我父親很熟？還是認識我媽媽？」

「都不是。」

「那是……？」

「我是在醫院見到妳父親的。」

「醫院？您是說車禍那天？」墜艾珉急急地問。

「對，當天我兒子也因為車禍被送到了同一家醫院，我在醫院見到了妳父親最後一面。」頓了一下，張霆堰終於這樣說：「我兒子……是車禍的肇事者。他為了閃躲一個男孩，撞上了妳父親的車。」

「什麼?!」墜艾珉發出驚呼。

「事件結束後，我特地找尋了幾位被害者的資料，想要彌補些什麼，所以才知道了妳是在當晚出生，感到很內疚。上週我偶然在印刷廠印製的畢業紀念冊看到妳的名字，想到妳應該快成年了，因此才想要為妳做點什麼……」

「我不要！」墜艾珉狠狠地把畢業紀念冊塞回張霆堰的手中：「我只要我父親回來，我不要什麼鬼紀念冊。」

墜艾珉心底那缺了角的空洞感此刻突然擴大，脫去那層疏離薄膜底下的熱切情緒，她被剝奪的、替代的、失去的……這些情緒總算有了出口、有了可以指責的人。

「對不起……」張霆堰一臉愧疚。

「說對不起有什麼用，是你兒子害死我父親的，」墜艾珉泣不成聲：「你們害我見不到父親，只有相片……」

「對不起……」張霆堰只能一個勁地道歉。

「我不要聽什麼對不起，還我父親來、還我……」

張霆堰試圖想要安慰墜艾珉，卻被她一手拍開。

「張爺爺的兒子也是在那場車禍中死去了。」

突然間，原本在一旁始終沉默的洪皓開了口說話，接著又轉頭對一臉驚訝的張霆堰說：「對不起，我剛剛聽到您跟藍小姐的對話了。」

洪皓的話讓墜艾珉猛然抬起頭，她先看了看他，然後又轉頭看了張霆堰。

「是真的嗎？」她的眼眶還含著淚水。

「是的。」

「對不起。」墜艾珉態度稍稍軟化了一些：「我不知道這件事。」

「妳不用道歉，這件事不是妳的錯。」

「我父親……他是為了趕到醫院看我而出車禍的，嗚……」墜艾珉低下頭大哭了起來，對父親的思念混雜著其他複雜情緒，終於在此時爆發。

即使從未見過父親，但她的腦海裡早就排練過無數次他們相處的情景、可以一起去的地方……一開始墜艾珉對於父親的想念都是建立在這些日常想像當中，可是當她知道父親是在趕來醫院看自己的路上遇到車禍之後，便摻進了自責的情緒在裡頭。

潛意識中，她認為父親的死自己也有責任，她指責肇事者的同時，其實同時怪罪著自己。心中缺的那角蘊含著「如果沒有我，父親就不會死」的責難。

一直等待著自己的誕生的父親，卻是因為自己而喪生，而無法真正地當一個父親。當知道這件事的那一刻起，墜艾珉總忍不住這樣想。

「傻孩子，妳父親當時的心情一定是很開心的吧。」

「為什麼？」墜艾珉又抬起臉。

「他終於要當父親了，那種心情我也經歷過。」

「可是他來不及見到我……媽媽說父親期待了我很久很久了，結果……」

「即使這樣，他還是一位父親。」張霆堰說：「誰也不能改變他是妳父親的事實。」

「嗚……媽媽有給我父親的相片，雖然我沒見過他，但至少知道他的樣子，但父親卻無法看到我……」

「他看過妳了喔。」

「什麼意思？」

張霆堰把畢業紀念冊推到墜艾珉手上，示意要她翻開。

墜艾珉接下紀念冊，雙手微微顫抖地翻到夾著筆的那頁，扉頁上頭寫著短短的兩句話：

To 艾珉小妹妹：

恭喜畢業，祝妳可以考上理想的大學，十八歲了，要成為大人了、要為自己負責任了。希望妳以後能像妳的眼睛一樣常保微笑地生活著。

p.s. 我也是個準父親了，希望我的女兒可以跟妳一樣健康快樂地長大。

墜珉 詰筆

「這是父親的筆跡！」她看過父親當年給母親的信，認得這個字跡，是父親的沒錯。墜艾珉不可思議地盯著這幾行字，又哭了出來。

「別哭了，妳父親希望妳常笑。」

「謝謝張爺爺，這是我最棒的生日禮物了……」墜艾珉不斷擦拭著眼淚，不斷地道謝。

「生日快樂。」張霆堰笑著說。

輯4

唱片

人生沒有什麼誰原不原諒誰的，
你只能在有限的時間裡頭
「對得起自己」。

下午六點四十六分

「請問這裡是遺憾招領中心嗎？」一位身型高挑、戴著鴨舌帽與口罩的男子跑到窗台前，氣喘吁吁地問道。

「是的。您好，這裡是遺憾招領中心。」

「太好了，趕上了。」男子鬆了一口氣，低頭看了窗台上的名牌，上頭寫的名字是洪皓，「這裡可以把東西寄回到過去，對嗎？」

「是的，您要寄什麼嗎？」洪皓看著眼前這位只露出一雙眼睛、神祕模樣的男子。有點眼熟，但一時想不起來在哪裡見過。

「有的，我要寄這個。」男子摘掉口罩，從背包裡掏出一封信，又慌亂地拿出另一個紙袋：「這封才對。」洪皓認得這張臉，他是偶像團體 Super! 的團長易競。

「沒問題，如果有回信的話，一般不需要多久的時間就會收到，若是退信則是在六點五十分後會退回。不過信件會保留三個月，期限內回來領取即可。」洪皓接過信件說明，裡頭裝的是一個方型硬塑膠殼的物品。

「所以不管有沒有回信，都是當日會回來，對嗎？」

「基本上是的。」

「只剩下十幾分鐘就打烊了，我在這裡等就好，可以嗎？」易競看了招領中心上方的時鐘這樣說。

「當然，前面有一排椅子，您也可以在那邊等待。」

「沒關係，我在這裡就好。」易競看了椅子上的老先生一眼，這樣說。

決定到遺憾招領中心是臨時起意，原本易競還很擔心自己會找不到而錯過時間，幸好在最後的關頭找到了。台北車站對他而言幾乎是個全然陌生的地方，他很少搭捷運，更不要說有機會來這裡逛街，加上是突然的決定，根本沒有時間研究路線，因此即使已經到了地下街，仍沒有把握要上哪去找。

遺憾招領中心很不顯眼，沒有明顯的指示，也不甚明亮，但有種奇異的氣氛，在這裡時間的流動感跟其他地方不一樣。此時招領中心前一人都沒有，窗口透出的白色照耀在地面，只有一位戴著扁貝雷帽的老先生坐在椅子上。

易競靠在牆上，手上拿著方才掏出的第一封信，收件人：易宇立。這是下午在唱片公司拿到的歌迷來信。他沉重地注視著信封，思緒被上頭的名字拉回到了從前。

易宇立是他的本名，十八歲以前的自己。

「我嗄你尚好就到這，你對我已經沒感覺，麥閣傷心，麥閣我這愛你，你嘸愛我~~」十一歲的易宇立目不轉睛地盯著電視螢幕裡唱著歌的樂團，在海邊拿著吉他、敲打著鼓唱著台語歌也太帥了！他心想。

MTV 最末出現了樂團名稱「五月天」，才小學五年級的他，太艱澀的字還看不懂，不過這三個字他都認得。小小的他成了他們的歌迷，辛辛苦苦存下零用錢買專輯、盯著每一個有他們身影的節目。五月天不僅是他的偶像，更是他的音樂啟蒙老師，成為影響他一生的名字。

同年，他發生了一場車禍，意外連帶搬了家，雖然身上沒有受到什麼傷，但卻在他的幼小心靈蒙上一層陰影。不過正因為這場意外與五月天，他今天才成為了藝人，他想跟他們一樣成為能夠給人力量的人。

從因為「好帥」開始萌芽的念頭，讓易宇立對音樂產生興趣，因為意外而堅定的心意，他對著父母發下「我要當明星」的豪語。然而當時他比同年齡的孩子都要矮小，教室位置總坐在第一排，是個極不顯眼的存在，因此大家都當他只是童言童語。

可是這一堅持就是好幾年的時間，在十二歲生日時央求一把吉他當作禮物，買了樂譜自己學習。人的手指並非天生用來彈吉他，剛開始學習的時候，柔軟的指腹壓在鋼弦上痛得不得了，光要讓吉他發出清脆的聲音都有困難，有幾次還滲出了血，尤其在冬夜更是凍得難以忍受。可是他並沒有放棄，一次、兩次、三次、更多次……終於手指長出屬於吉他手的印記「厚繭」，以一個這樣年紀的孩子來說擁有過人的毅力。

「適應它的痛，有天就會變成你的一部分。」易宇立在書上看過這樣一句話。

上高中的前一個暑假，易宇立原本緩慢成長的身高，一口氣拉長了十多公分，突然間變成了人群裡頭顯目的存在。而上高中後也如願加入了音樂社，認識了一群志同道合的朋友，組了樂團，投注更多的心力在音樂裡，同時開始積極參與校內外比賽，不過從來都沒有得過好的名次，更是一度荒廢了學業，為此母親曾與他懇談過：

「小立，你知道自己在做什麼嗎？」母親林亞鈺喚的是他的小名。
「知道……」易宇立先是點了點頭，接著又搖了搖頭：「不知道。」
「但你知道自己的夢想，對嗎？」
「對。」說到夢想他的眼神就散發著光芒。
「看到你這樣的眼神媽媽就放心了。」林亞鈺說：「年輕最大的本錢就是有犯錯與能夠重來的機會，你才十七歲，我不要你現在就放棄自己的夢想。」
「媽……」易宇立感動得眼眶泛淚。
「爸媽不要求你一定要有多大的成就、多會讀書，但希望你至少能夠學著為自己負責。只要答應媽一件事，就是你要記得照顧好自己就好。」
「我會的。」易宇立用力點了點頭答應。
不過，隨著高中畢業，團員各奔東西，樂團也跟著解散，夢想也隨之破滅。雖然學業成績不突出，最後仍是考上了一所三流大學就讀。
「自己是不是根本就沒有音樂的才能？」不只一次，他詢問著自己，是否要就此放棄夢想。恰巧在那幾年全球掀起了一陣歌唱選秀熱，美國的《美國偶像》風也吹到了台灣，電視台預備在二〇〇七年製播一個屬於台灣自己的選秀節目《超級星光大道》，號稱是「台灣歷史上規模最大的選秀會」，易宇立決定再給自己一次機會。當年他十九歲，是大學一年級的新生。

海選那一天，易宇立穿上自己最好看的衣服，背了一把吉他自彈自唱原創抒情曲〈這樣的一個我〉，評審對他的評語是：「有種吸引人注意的特質，有點憂鬱，雖然歌唱技巧不夠成熟，但具潛力。」於是他通過了初選。

正式進棚錄影的初賽參賽者高達上百人，錄影等候過程漫長，最多的時間都是在等待中度過，等待燈光、等待攝影師、等待導播、等待其他參賽者……一個又一個的等待，最後不過是上台短短的三分鐘。

初賽易宇立很快就過了關，現場評審甚至給予他一致好評。日後《超級星光大道》的收視也屢創新高，當時全台掀起了一陣「星光熱」，每個週五不分老少都聚集在電視機前面觀賞節目，易宇立覺得這是自己離夢想最近的一次機會。可是夢想在四個月後破碎，最終他仍是沒有得到好名次，不僅沒有進入決賽，也止步在十名後。

節目落幕之後，前十名的選手更是集結發行了《星光同學會：超級星光大道十強紀念合輯》，正式成為藝人。當時易宇立在唱片行拿著專輯露出羨慕的眼光，他就只差一點點就成了「星光幫」。

正當再次自我質疑是否根本沒有音樂才能時，託星光熱之福，有唱片公司上門了，找他與其他四人組成男子團體。雖然不是自己理想中的樂團，但易宇立思考後仍決定嘗試，這是幾年來第一次有機會實現夢想，他想把握住。

十九歲那年，他在經紀公司的安排下，開始對外使用藝名「易競」。易宇立已經是過去的自己了，唯一沒變的是他仍然喜歡五月天。

只不過四年後夢想還是沒有實現。一直到大學畢業，易競都沒有正式出道，雖說是簽約，但除了偶爾的培訓課程外，日子仍只有不斷地等待。這段時間易競不曾放棄寫歌，但從沒被採用，最後連原本預定的團員也紛紛開始求去。

大學是易競的護身符，讓他可以逃避，只是到了畢業時刻，終於他不得不面臨了去留的問題。他努力了十年才得到的一紙合約，要輕言放棄很難，但脫離學生身分也等於得正式為自己負責了。他不是沒有想過去打一份工，然後繼續等待，然而，單純維生不難，真正困難的是懷抱著遙不可及的夢想，繼續活下去。

當時五月天正好發行了第八張專輯《第二人生》，易競終日反覆播放著同名主打歌希望給自己一點力量：「期待一種永恆，即使傷痕也奮不顧身……別到荒廢青春，用盡體溫，才開始悔恨。」

就在這樣的時刻，經紀人來了電話：「Super! 要正式出道了，你之前寫的歌會收進專輯裡，接下來會很忙喔。」經紀人表示，公司另外找了四位新團員，還是會維持團體形式出道。易競在電話那頭愣愣地說：「好。」。他一下子從原本最年幼的團員變成了最年長的，同時兼任團長。

隔年，Super! 以唱跳團體之姿發行了第一張專輯《Super! one》，讓易競更開心的是裡頭收錄了他寫的四首歌，其中包含了〈這樣的一個我〉。雖然都不是主打歌，但第一天拿到專輯，看到唱片封面上自己的臉孔時，易競還是忍不住哭了，而母親拿到專輯時也眼泛淚光。

接下來的日子在忙碌中度過，不斷地校園演唱、電視電台媒體訪問，看似密集的曝光卻沒有帶來成效，第一張專輯算不上成功，套句經紀人的話：「勉勉強強。如果從公司投注在你們身上的金錢來看的話，根本算是失敗。」不過易競仍然備感欣慰，因為並非主打歌的個人創作，意外獲得了迴響。

在當時還稱不上有歌迷的時期，易競收到了第一封歌迷寫來的信，信封是白紙紅色框，很老派的款式。上頭署名的收件人是「易宇立」，出道後他並沒有在媒體上曝光過自己的本名，表示這應該是之前看《超級星光大道》認識他的歌迷。

易競小心翼翼地拆開信封，身體因為興奮而微微顫抖，手指頭上的繭輕輕磨過模造紙面。原本預期應該會是一封熱切讚美或表達愛意的書信，但裡頭卻只是一些關懷打氣的字句，像是一個長輩對晚輩自然流露的關心。

宇立：

你在電視節目裡的演出，看起來很有活力，實在是太好了。在專輯中，我最喜歡由你創作的〈這樣的一個我〉這首歌，讓我想起了以前的自己，歌很好聽，詞也寫得好，希望你繼續加油，我會一直支持你。

記得放鬆，對自己寬容一點，你只要做自己就可以了。

忠實歌迷

雖然他的創作獲得一些迴響，但很少有人特別點出〈這樣的一個我〉這首歌，這引起了易競的注意，而信末這句「對自己寬容一點，你只要做自己就可以了」也有點不尋常。他翻到信紙後面也再次看了信封，發現並沒有署名，「這不會是惡作劇吧？」易競看了一頭霧水。

而這樣的書信之後仍不定時寄送過來，信末都是同樣的一句「對自己寬容一點，你只要做自己就可以了」，也一樣是署名給易宇立。隨著日後受關注度越來越高，加上網路媒體發展迅速，流言蜚語日益增加的狀況下，這些信常常在心情沮喪時很湊巧地給了他一些安定的力量。如同五月天的歌曲。

漸漸地，易競習慣了這位忠實歌迷的存在，就像是一個老朋友。甚至到後來，唱片公司助理還會在眾多的歌迷來信中挑出這個人的信件，特別交給他。

兩年後，Super! 發行了第二張專輯《Super! two be……》，綜合第一張的經驗，團體定位做了調整，加進去了更多易競創作的元素，經紀人更不諱言地說：「這是你們最後一次的機會，這張再不成功，恐怕就沒有下一張了。」所幸，這張專輯在商業上大獲好評，Super! 一舉成為暢銷團體，隔年更在金曲獎上入圍了好幾個項獎。

日子更加忙碌，除了台灣外，海外的活動也跟著增加，更多只見過一次的人、更多的鎂光燈閃鑠，還有更多的宣傳話語。就這樣，生活幾乎是在無所察覺的狀態下度過。匆忙的日子抹煞了人的知覺，於是不知不覺。

易競仍很享受這樣的生活，不是因為明星光環，而是因為終於實現了夢想。他沉浸在夢境般的光環下，持續寫歌。很快地唱片公司乘勝追擊，在同年底就發行了第三張專輯《Super! three years》，這張紀念出道三年的專輯同樣得到了好成績。

「下週唱片公司要舉辦專輯破十萬慶功記者會，三點開始，十二點司機會接大家去妝髮，別忘了喔。」經紀人宣布。

「十萬耶，好酷！」五名團員則抱在一起蹦蹦跳跳。

記者會上他們換上唱片公司特別訂製的新衣服，一身白，活脫脫像是白馬王子。易競與團員一起敲打雕刻著阿拉伯數字十萬的大型冰雕，冰屑在尖叫笑聲中四濺，現場氣氛熱絡。接著在聯訪結束後，他們搭上保母車準備回唱片公司，就在車子滑出地下室停車場時，突然「碰」的一聲巨響，一輛車子從左側迎面撞了上來，坐在最左側的易競飛向右側車門，玻璃在他的身後碎成滿地，他當場昏了過去，鮮血在白色外套上暈染開來。

四個小時之後他才終於醒了過來，病床旁是一張張焦急的臉孔。

「發生什麼事了？」易競的思緒仍有點朦朧。

「發生了車禍，保母車被撞了。」經紀人趕緊趨向前。

「車禍……」這麼一說易競總算有點印象：「那其他人呢？他們好嗎？」

「大家都沒大礙，因為你首當其衝所以比較嚴重，手肘有輕微的骨折，其餘都是皮肉傷而已。不過醫師說可能會有輕微腦震盪的跡象，需要觀察幾天，休養一陣子就會好了，放心。」

「那宣傳……」

「沒關係，暫時四個人去跑就好，你專心休養。」

易競輕輕點了點頭，又沉沉睡去。

睡夢之中，矇朧裡有首曲子傳來，是五月天的〈志明與春嬌〉，他伸出手發現自己的手掌變小了，像是小孩的手，腳也是、身體也是，他變回了那個剛迷上五月天的小五學生。接著音樂聲越來越響、畫面開始旋轉，他用小小的手掌想要摀住耳朵，但聲音卻越來越大，最後伴隨著刺眼閃光化作一聲劇烈的撞擊聲。那種厚重金屬碰撞所發出的悶響……是車禍！當易競意識到這件事時，全身冒著冷汗從夢裡醒了過來。

他心臟劇烈跳動、感到呼吸困難，同時還有暈眩，醫師說這是「創傷後壓力症候群」，需要一點時間，必要時輔助藥物與心理輔導，應該沒有大礙。

但易競知道不是，感覺不一樣了。

休養了兩週之後他正式出院，大批媒體在醫院門口聚集，見他出來蜂擁而上，即使不過短短幾秒鐘的時間，他也已經戴上墨鏡，但仍擋不住閃光燈刺眼的光芒。易競蒼白著一張臉上了車，再次感到呼吸困難，他大口大口吸著氧氣，像是個溺水的人。

抵達經紀公司時，一如預期果然又在成堆來信中，發現了那封鼓勵打氣的信。

「怎麼這麼巧，每次遇到低潮的時候，都會收到你的信。」這是易競近期少數露出笑容的時候。

之後雖然工作漸漸上軌道，鏡頭前也總是展現笑臉，但他的話開始變少了，回到家也總是關進房間裡。失眠沮喪的情形更加劇了。螢光幕前的姿態就像是他真實樣子的鏡射，表面上越活躍，私底下便越萎靡。大家都以為他仍在復原期，有些反常也沒什麼不正常，但最先發現不對勁的是易競母親。

「我可以進來嗎？」房門外是母親的聲音。

「請進。」易競此時正靠坐在沙發上，五月天的音樂輕聲地飄蕩在房內。不是為了聆聽，而是為了作伴。

母親端了一杯熱蜂蜜薄荷茶進來，自從他開始當歌手後，她每天都會為他準備保養嗓子的食物。母親將茶擺在書桌上，拉出椅子坐下，書桌前方掛著一張五月天的簽名海報，這是經紀人知道他們是他的偶像時，特地透過管道要來的。易競拿到時如獲至寶，他從來都沒有五月天的簽名，隔幾天就裱好框掛在房裡最顯眼的位置。

「小立，你還好嗎？」

「傷口已經不痛了。」易競刻意甩了甩手臂以示痊癒。

「還做那些夢嗎？」

「嗯。」易競沉默了幾秒，還是點了點頭承認。

「看到你成天皺眉就知道。」母親伸出手用拇指揉了揉他的眉心。他跟母親的感情始終都很好，在出道後更是親密，高中時期那段迷惘的歲月，始終都是母親支撐著他，鼓勵他為自己負責。

「沒事的，放心。」易競勉強擠出一個笑容。

「誰都想騙就是別想騙我這個媽。」母親說著也笑了，又說：「不要再惦記著那件事了。」易競低著頭沉默不語。

「都過去了，沒關係了……」

「真的沒關係嗎？」

母親說的是十一歲的那場車禍意外，這件事只有家裡的人知道，經紀公司與團員並不知情。事發後他們搬了家，絕口不再提起這件事。

雖然那場車禍他的身體幾乎毫髮無傷，但心靈卻受到了衝擊，之後斷斷續續還做過好一陣子的心理輔導，上個月的車禍又再次喚醒了這段記憶。

易競抬起頭只看到母親一臉的憂慮。在她的堅持下，易競又開始看心理醫師，只不過情況並沒有好轉，反而更糟糕。

他再也寫不出歌曲了，腦子就是跑不出任何一個音符。原本預定隔年要發的第四張專輯跟著延後，無限期地延後。唱片公司急得跳腳，直說是藥物影響了易競的思緒，嚷著要他停藥、停止繼續看心理醫師，進來錄音室寫歌就會有靈感。但他仍只是住家與診所兩邊跑，期盼吃了藥能快點睡著。

到後來，所有活動都被迫停止，就連歌迷都開始詢問「怎麼了？」八卦媒體捕捉到了他上身心診所的畫面，加油添醋地寫了一篇他重度憂鬱症的新聞，唱片公司連忙出面澄清只是失眠問題。

一直到某日凌晨，睡不著的易競被網路上一則新聞抓住了目光，斗大的標題寫著：二〇一七年三月二十九日，五月天將在大安森林公園舉辦出道二十週年演唱會。

易競從來都沒有參加過五月天的演唱會。就因為在十一歲的那場意外，近二十年來他買著他們的每一張專輯、每一張演唱會DVD，對每一首歌倒背如流，但就是沒有參加過任何一場活動。

這次我想參加！易競心想。

演唱會當天，易競戴著鴨舌帽與口罩踱步到了大安森林公園附近，遠遠地滿坑滿谷的排隊人潮，但他遲遲不敢靠近，不是因為擔心被認出來，而是因為害怕。最後，他站在公園的另一頭，隔著寬敞的新生南路聽著那頭微弱的音樂聲掉著眼淚。

五月天的音樂總是能夠拯救他，但若這回不行的話怎麼辦？

「像我這樣的人有資格可以給別人力量嗎？」易競用拇指摩擦著自己長了繭的手指，不斷問著自己。易競就這樣在街頭站到深夜，當晚在心裡默默做了一個決定。

隔日，他像是重生了一樣，開始疾筆寫歌，過去將近兩年的空白一下就被填滿，一個月後易競交出了幾首讓唱片公司滿意無比的歌曲，團員也雀躍不已。第四張專輯的計畫立即就跟著啟動，錄音、練舞，接著定裝拍照，日子又開始忙了起來。

「歌迷等太久了，一定要大張旗鼓宣傳才行。」唱片公司不斷這樣說。

前置非常順利，專輯名稱正式訂為《Super! four you》，是一張獻給等待許久的歌迷的禮物，就定在九月三日開始預購。

九月三日

就是今天。

一早易競就進了唱片公司，因為專輯今天可以搶先拿到。從第一張專輯開始，他們團員就有個默契，會所有人聚集一起開箱新專輯，從來都沒有變過。為了象徵睽違近三年的全新出發，唱片公司將專輯設計成特殊包裝，透明賽璐璐片下的封面是如同積木一樣可以自由拼貼，團員們個個看得嘖嘖稱奇。

易競拿著剛出爐熱騰騰的專輯看著上頭自己的臉孔，突然眼眶泛淚。

「都出到第四張專輯了，怎麼還這麼感動啊。」團員紛紛笑他。

易競趕緊拭去眼淚，搖了搖頭，接著大大吸了一口氣後，深深地鞠了一個躬，然後說道：「對不起，我覺得自己不再適合 Super! 這個團體了，我要退團。」

這句話一出，現場的人無一不愣在原地，驚訝不已。

「你……是開玩笑的吧！」經紀人率先跳出來講話。

「這是我深思熟慮後的結果，這張專輯是給歌迷的一個交代，之後我不想再唱歌了。」在那場五月天的紀念演唱會，易競下了離團的決定：「我覺得自己不適合唱歌……」

「不適合唱歌？這是什麼意思？你唱得很好啊、唱片也賣很好，怎麼會不適合，誰說的，你不要聽他的。」經紀人急了。

「我覺得自己沒有條件帶給大眾快樂。」

「你到底在說什麼？大家很喜歡聽你唱歌啊……還是有其他公司跟你招手？他們是不是開出了更好的條件？我們……」

「沒有其他公司，是我自己沒辦法唱歌了。」

「一下說不適合唱歌，一下又說沒辦法唱歌……到底發生什麼事了？」

易競只是搖搖頭不說話。

時間還未到中午，唱片公司高層都到了，就連易競的母親也來了。易競略為驚訝地看著母親，但母親只是拍了拍他的肩膀，坐在他身後說了一句：「我尊重小立的任何決定。」母親是來給他力量的，就像是當年高中時候的自己一樣。

這句話可讓全部的人都跳腳了，開始以各種方法遊說，不管是動之以情或是說之以理，總之能想到的說法都用上了，但易競還是不為所動。直到下午六點，唱片公司仍是不允許易競離團，也不准他對外發布任何訊息，要他先冷靜一陣子之後再談。

但不知怎麼的，消息卻走漏了出去。各大媒體紛紛以頭版報導這件事，易競在計程車上看到朋友蜂擁而至的訊息，感到無比的疲倦與……輕鬆。

「媽……」關上手機，易競虛弱地看向母親。

「沒關係，媽相信你做的決定。」母親笑著拍了拍她的肩，一如往常。

在沉默的空間裡，電台突然傳來五月天的歌曲〈乾杯〉：「會不會有一天，時間真的能倒退？退回你的我的回不去的悠悠的歲月～～」易競聆聽著歌詞跟著哼唱起來，突然想起關於「遺憾招領中心」的都市傳說，那個可以把信件寄回到過去地方，就跟歌詞寫得一樣。如果真的有那樣的地方，會不會一切就都不一樣了？易競喃喃自語，往窗外一望，「台北車站」四個字的招牌正巧出現在前方不遠處。

他先是愣住了幾秒，隨即大喊：「司機麻煩前面台北車站靠邊先停，我要下車。」接著在包包裡翻攪了一下後，拿出剛剛到手的新專輯，他將專輯從紙袋裡取出，用簽字筆在封面寫下幾行字再裝回去，最後又在紙袋上寫了一串數字。

「小立……」林亞鈺看著易競一連串的動作不明所以。

「媽，我去辦個事，等下就回去。」語畢易競迅速戴上口罩帽子匆忙地下了車，跑向車站。

已經六點四十三分了。抵達台北車站時，易競看了時鐘，心急不已，記憶中招領中心是晚上七點打烊，沒剩多少時間了。他已經許多年沒有來過台北車站，這裡變得跟以前不一樣了，一樓寬敞的大廳還有熱鬧的店舖，跟他的記憶裡的完全不同了。根本毫無頭緒招領中心會在哪裡。

易競東張西望試圖尋找相關指標，終於在人來人往的一角，發現了亮著光芒的「招領中心」字樣，他欣喜若狂奔向指標位置，再望了一次牆上的時鐘，時間是六點四十五分。

□

一九九九年

「媽，我回來了。」易宇立從門口蹦蹦跳跳跑了進來，一進門就直接跑進房間，把門關上。一臉稚氣的易宇立迫不及待從書包裡拿出一個小紙袋，接著小心翼翼地取出，裡頭是《五月天第一張創作專輯》，封面是五位像是大學生男孩般青澀的團員，或站或蹲，右上角藍底黑字大大印著「五月天」三個字。

這是他存了幾個禮拜的零用錢，辛辛苦苦託人才買到的專輯。由於他還是小學生，父母不准他單獨去市區的唱片行買唱片，也不肯帶他去，因此他只能到處央求同學是否有人可以幫忙購買？好不容易才詢問到隔壁班同學的哥哥正好在唱片行打工，終於才能夠買到。這是他等了兩個月的專輯。

好酷！易宇立發出讚嘆，一邊拆開封套把 CD 擺進去隨身聽裡，耳朵裡隨即傳來熟悉的音樂「我嘎你尚好就到這，你對我已經沒感覺，麥閣傷心，麥閣我這愛你，你無愛我～～」他的身體隨著音樂輕輕搖擺，翻閱著歌詞本跟著哼唱。

突然間，一張小卡紙從歌詞本裡掉了出來，易宇立撿了起來，上頭的標題寫著「五月天全台簽名會」。

是簽名會！他喜出望外，趕緊在密密麻麻的文字裡找到了台北場的時間「九月七日，星期六」。今天是九月三日，不就是大後天嗎！易宇立從椅子上跳了起來，興奮地往外衝。他要參加！他要參加！整個人被可以見到五月天本人的高漲情緒所充滿。

「媽、媽，可以帶我去五月天簽名會嗎？」易宇立一把跑進廚房，拉著正在煮飯的母親衣角央求著她。廚房裡瀰漫著醬油滷汁的香氣，現在是下午六點半，是準備晚餐的時間。

「小心，媽在煮飯，這樣很危險。」林亞鈺示意他往後退一點。

「媽，可以嗎？可以帶我去嗎？」易宇立手裡還拿著那張簽名會小卡。

「簽名會太多了吧，當明星真辛苦。」林亞鈺擦拭了手，拿起小卡端詳：「台北是大後天？」

「對。」易宇立用力地點點頭，眼神閃耀著光芒：「可以嗎？拜託。」

「星期六……那天不是補習班開課的日子嗎？不行。」林亞鈺把小卡遞了回去。

「我會認真讀書，我會聽話，我保證……帶我去啦，拜託。」易宇立再次拉著母親的衣角。林亞鈺低頭望著那張要求的小臉，已經小學五年級身高卻只有一百五十幾公分，一邊擔心著是否會長不高。此時，父親也剛好進了門。

「那你問爸爸，他說好就好。」林亞鈺摸摸易宇立的頭說。

「什麼事？」易進祐聽到有人提起自己。

「你知道五月天嗎？」林亞鈺問著。

「五月天？你是說小立很喜歡的那個明星嗎？」

「對，這星期六他們有簽名會，小立要我帶他去。」

「爸，拜託。」易宇立眼巴巴地望著父親，又把剛才的話說了一遍：「我會認真讀書，我會聽話，我保證……帶我去啦，拜託。」

「是妳要帶他去，問我幹嘛？妳有空就可以啦。」

「那個……」林亞鈺遲疑了一下：「那天也正好是小立補習班開課的日子，但我想第一天……」

「不行！」話立刻就被厲聲打斷：「小學生迷什麼偶像，以後要簽名有的是機會。不准去。」

「爸……」易宇立眼淚立即掉了下來：「拜託啦，就這一次……我會認真讀書……」

「現在就迷成這樣，之後還得了，書不就不用念了！」

「爸，拜託……嗚嗚……我真的很想去……」易宇立啜泣了起來，小小的肩膀不停顫抖著。

「不准就是不准，再吵連歌都不准再聽！」易進祐用力拍了桌子，表情嚴肅。

易宇立被突如其來的聲音給嚇了一跳。

「宇立爸爸……」林亞鈺趕緊上前拍拍易宇立的肩膀，試圖安慰。

「不管，反正我就是要去，不用你們，我會自己去！」易宇立大吼回去，用力掙脫開母親往門外跑。

外面大雨滂沱，易宇立沒有帶傘因此只能低著頭往前面直衝，要跑到哪裡他也不清楚，他只知道要離開家裡，越遠越好。馬路上車聲混雜著喇叭聲震耳，由於雨天路況不好塞車的嚴重，大家都沒了耐心。

易宇立摀住耳朵想要阻擋這些聲音，他只顧著一味地往前跑，雨滴淋濕了衣服他也不在意。突然間，刺眼的光線朝他射來，易宇立抬起頭發現是車燈，有一輛車子正朝他衝了過來，在還來不及反應些什麼的時候，有一股力量重重地撞擊他的身體，伴隨著刺耳的煞車聲。他被彈飛到了數公尺之外。

他被車撞了嗎？摔到地上的易宇立感覺到身上有些疼痛，但還能站起來。他看到不遠處有幾輛車撞在一起，其中一輛還卡在一旁的民宅騎樓，然後地上躺著一個男人，全身的黑色，但在光線雨水的折射下，鮮血漸漸在潮濕的地面上暈染開來。

再次有記憶是在醫院了。

映入易宇立眼簾的是陌生的白濛濛場景、刺鼻的藥水味，還有父母親焦急的臉孔，周圍有許多護士來回穿梭，鬧哄哄的。那時候他才意識到自己是在醫院。

「小立你還好嗎？」母親問。

「有點痛……」易宇立發現自己的身上，有多處包裹著紗布。

「有點擦傷，過幾天就會好了。」

「那個人呢？」晚上的畫面突然閃過他的腦海，他最後的記憶是躺在地上的那個穿著黑衣的人。

「誰？」

「穿著黑衣服的叔叔，他躺在地上……」

「我不知道，等下我問問醫師。」

「他推開了我。」易宇立緩緩吐出這句話，同時感覺到手上握有什麼東西，他打開手掌，五月天的簽名小卡還在手裡，已經擰亂成一團。

「我不想要去簽名會了。」然後他這樣說。

□

喀噠——

易競思緒被輕微的聲響打斷，他抬頭看了上方的時鐘，已經是六點五十分。如果有退信的話，應該收到了吧。他轉身步向櫃檯，餘光瞄到椅子上的老先生似乎也正準備起身，他也是來拿信的嗎？

「對不起，已經六點五十分了，我想知道有沒有我的信。」易競靠在窗檯前詢問，長了繭的指腹同樣不斷觸摸著那封歌迷的來信。

「您好，請跟我說您的名字？」洪皓按照規定問了名字。

「易競。」易競愣了一下，趕緊報上：「容易的『易』，競爭的『競』，單名單姓。」洪皓在鍵盤上輸入名字後，電腦再次發出了與方才一樣「喀噠」的聲音，接著說：「有的，有您的信，請稍候。」

洪皓轉身走向後面的長櫃，沒多久後拿了一封信回來遞到他的手上。

「請問這是回信？還是退信？」易競接過與幾分前自己所寄出的一模一樣的信封，著急地詢問著。

「很抱歉，是退信。信沒有寄出去。」

「果然……」易競沮喪地垂下肩膀，一臉失望。

「信是無法寄給自己的。」突然間一個人的聲音插入，不知道何時，那位戴著扁貝雷帽的老先生已經來到了櫃檯前。洪皓聞言，好奇地瞄了易競手上的信封，收件人上寫著「易宇立」。他不是叫易競嗎？

「你改過名字，對嗎？」老先生這樣說。

洪皓此時才懂了易競的用意，原來他是要寄信給以前的自己，那個舊時的自己。新名字代表新生，因此舊名某種程度也代表了已經死去、再也見不到的人了。

「您怎麼會知道？」易競有點驚訝，同時也起了戒心。

「我是忠實歌迷。」他說。

「什麼忠實歌迷？你是瘋狂粉絲嗎？」

「我是你的『忠實歌迷』。」他指了指易競手上的另一只信封。

「忠實歌迷……」易競愣愣地拿起信封，這下才恍然大悟：「這封信是您寫的？這些年來都是您寫的信？」

「是的，所以我才說我是『忠實歌迷』。」老先生露出和藹的笑容：「我叫張霆堰，初次見面。不對，是第二次見面了。」

「張爺爺來過我的活動嗎？」易競努力從腦海中思索，但沒有印象見過眼前這位老先生，他們的歌迷多是學生，若有這樣一位資深歌迷的話應該會印象深刻才是。

「不是，是在醫院。」張霆堰用手比了腰部的位置：「當時你才這麼高。」

「那時候您也在醫院！」易競發出驚呼。

「當時我的兒子正躺在另一張病床上。」

「難道……」易競睜大眼睛，半晌說不出話。

張霆堰點了點頭，眼眶泛起淚光。

「對不起！」易競疾速一把跪下，眼淚奪眶而出。

面對易競突如其來的舉動，張霆堰嚇了一跳，連忙將他拉了起來。

「都是我害你失去兒子，對不起……對不起……」易競低著頭哭泣，眼睛不敢直視張霆堰。

當年車禍發生後，在醫院的他懵懵懂懂，並不了解發生了什麼事、不明白全部的意涵，只見到周圍人不斷地吶喊與哭泣。推開自己的那個叔叔呢？他為什麼躺在地上不起來？一直到幾天之後，在他不斷地追問下，終於得知了那位叔叔喪生的死訊，日後更得知了在那場車禍中共有四個人喪生。

當時易競還不完全能理解生與死，但卻清楚知道「人只要死掉了就再也回不來了」這件事。奶奶在他八歲時過世，所以他知道人死了代表的是什麼。黑衣叔叔是為了救他而死了，其他人也是，是自己害死了他們。

接著，開始有人在他背後竊竊私語。

某日鄰居五歲小孩指著他童言童語地說：「殺人兇手。」自那天起，易競做起了惡夢，夢裡是一張張嘲笑他的臉孔與染紅的鮮血，次數越來越頻繁，最後他開始接受心理輔導。

可是再多的心理建設也抵不過周遭的環境，流言像是瘟疫一樣被散播了開來，就連同學都開始指指點點，單純的小學生散發出來的惡意更是直接。易競無法去上課了，只要一聽到學校就會頭痛欲裂，最後在別無他法的情況下，父母為了讓他能重新開始，在他小六時搬了家。

那段時間給他力量的就是五月天的音樂，每當那些面孔襲上或是半夜驚醒時，易競都能從他們的歌聲裡找回自我，進而獲得慰藉。五月天是他與心頭陰暗對抗的藥方。雖然他從此再也去不成他們的活動，但卻讓他立志成為可以帶給別人力量的人。

如果自己也能夠讓別人快樂的話，也就表示自己活得有意義了、也就對得起他們了。易競一次次這樣告訴自己，他不能放棄，因為一旦放棄就等於是背棄那些因為自己而喪生的人。這是他不被黑暗所吞噬的方法。

上國中後，一切漸漸好轉。新的環境、新的同學，沒有人會對他指指點點，惡夢次數也減少，易競終於不再接受心理輔導了。不過等到進入高中，學區構不成保護，他再次遇到了國小的同班同學。國小同學很和藹，似乎對五年前的事不復記憶，但他的惡夢卻又降臨了。

這回易競不敢讓家人知道，他厭倦了無止境的諮商輔導，更厭惡數藥丸的日子，那些小小的藥丸吞噬了他的意志，於是他把重心整個投入到音樂裡，藉由音樂暫時逃離現實。

是音樂讓易競活了下來，保持平靜。就是在這樣閉塞顫抖的日子裡，他將自己的心情寫成了〈這樣的一個我〉這首歌。

在喘息與喘息的間隙、在惡夢與惡夢的夾縫處，我拚命奔跑；
在黑暗與黑暗的交界、在眼神與眼神的空洞處，我不敢回頭。
哀傷的一個我，緊握著拳卻是握住空白，
虛無的一個我，用力吶喊卻發不出聲音。

像這樣的一個我，你是否還願意愛我。

只有他自己知道，這首歌是他對世界的呼救。

在這之後狀況時好時壞，但再也沒有對生活產生威脅，因此易競得過且過，反正只要有情緒需要宣洩，就寫歌吧。不管是好的或壞的，音符都會一五一十收容自己。出道後更是沒有多餘的時間思考，日子就這樣過下去，直到了兩年前發生的那場車禍，它就像是個鉤子，把所有藏在深處的記憶統統都給勾了出來了。

那些哭泣的臉、竊竊私語的眼神，讓他每每看到歌迷的歡呼都覺得諷刺，易競開始懷疑起自己，像自己這樣的一個人有資格給別人力量嗎？他不過是個害人遭遇不幸的人罷了。一直以來他以為音樂是一種救贖，但終究只是場逃避。

「像我這樣的人有資格擁有幸福嗎？」在無數失眠夜裡，易競反覆問著自己。他其實從來都沒好起來過，這次車禍後易競才確認了這件事，他的內在一直都是那個等待被原諒的小孩。因此他才想寄信給自己、那個過去的自己，希望可以改變什麼。

「已經可以了，都過去了，」張霆堰伸出手輕拍著易競的肩膀說著：「對自己寬容一點。」

聽到這句熟悉的話，易競猛然抬起頭，此時他才發現，原來那些打氣信件竟都是在回應著他的心情，每當他覺得沮喪時，它們就會出現。就是因為經歷過同樣的事情，所以張爺爺才能察覺到他的呼救吧。

想到這樣的溫柔其實對張爺爺來說有多麼殘酷，易競又忍不住哭了。

「張爺爺……我不知道要怎麼做才對，嗚……」

「你只要做你自己就好了。」

「可是……」

「我已經往前走了喔，相信其他人也是，」張霆堰拍了拍易競的頭，像是長輩對孫子的疼愛：「再說，如果你仍停留在原地的話，那不等於是把每個人都一起拖在原地不放了嗎？」

「但是我不知道要做些什麼才對得起你們……」

「你已經很努力了，我有看到。」張霆堰打斷他：「我用很長的時間才接受，其實啊，人生沒有什麼誰原不原諒誰的，你只能盡可能在有限的時間裡頭對得起自己，不留遺憾，這就夠了。至於其他的，都是命。」

「對不起……」

「你只要別再對不起自己就足夠了，快把眼淚擦乾吧。」

易競點點頭趕緊擦乾眼淚。

「紙袋內裝的是今天預購的新專輯，對嗎？」話鋒一轉，張霆堰指了易競手上的紙袋說道。「對。」易競用力點了點頭。

「有榮幸可以先得到新專輯嗎？我可是你的忠實歌迷。」

「當然、當然。」易競趕緊把專輯交到張霆堰手上，雙手用力握著他的手掌，腰桿彎得到不能再彎：「謝謝您，真的很謝謝您。」

「今後你的人生就是你自己的了，以後也會繼續寫信給你喔。」

「就麻煩您了、麻煩您了……」易競的手始終緊握著，低著的頭的雙眼突然感覺到視線模糊。

易競離開後，張霆堰拿出專輯，封面上用簽字筆寫了一行字，字跡潦草，看得出來是在匆忙的情況寫的：

小立：

今天晚上無論如何都不要出門。一定要記住！

紙袋上的時間則是寫著 1999090317000O。原來是要阻止自己出門啊，張霆堰微微笑了笑，眼眶又泛起一陣滾燙，抬起頭看見，才不過走了幾步的易競仍然回頭向他用力揮手道別，一臉神采飛揚。

張霆堰也揮了揮手，示意他趕緊回去。看著易競遠去的背影，他備感欣慰。

今後你的人生是你自己的了。

最終章 家書

遺憾，其實是為了
讓我們更珍惜
「現在」而存在。

下午六點五十二分

只剩最後一封信還沒收到而已。

墜艾珉離開後，張霆堰走到一旁方才與藍婧淇對話的椅子坐下，等待著第三封的回信。他拿出手裡方才收到的第二封回信，上頭的收件人寫著「黎先生」，打開信封，裡面保留著自己原本寄過去的信，再沒有其他內容。他盯著信件的主旨「獎助學金通知」，雖然沒有其餘的回信，但信封已經有拆閱的痕跡，表示對方看過了。只希望看到信的黎老先生可以感到安心。

幾分鐘前，招領中心前來了另一名年輕男子，定睛一看竟然是易競。張霆堰大感意外，冥冥中的安排，今天事件所有相關的人都來寄信了。他耐心等候著，一直到了退信時間才起身走近。

十八年前當他出院後，四處打探受害者的名字，輾轉得到了資料，心想自己可以幫上忙就做，至少可以彌補些什麼。就連易競也是，雖然他是整件事的源頭，但不表示他沒有受到什麼傷害。因此當偶然在電視上看到他的身影時，就開始默默關注著他的消息。而此刻，他的手裡多了一張 Super! 的新專輯，搶先所有的歌迷先拿到。不過，心裡仍是掛記著那封還沒回的信。

「我想再麻煩你幫我查查，第三封信回了沒有？」張霆堰對洪皓說。

「好的，我馬上就幫您查詢。」洪皓再次輸入名字，但仍然沒有新的回信紀錄：「很抱歉，張先生，還是沒有收到，退信資料也沒有。偶爾會出現信件遲回的狀況，還是您下週再回來看看呢？」

「這樣啊……」張霆堰沉默了幾秒，突然又說：「那麻煩你幫我用另一個名字試試，可以嗎？」

「請問是什麼名字呢？」洪皓從來都沒有聽過這樣的要求，但也沒有規定不可以使用別的名字搜尋。遺憾招領中心不是彩券行，無法隨意說一個名字就可以拿到信，若你能收到的，都是本來就屬於你的信件。

「就輸入你的名字吧。」

「我的名字？」洪皓一臉狐疑地看著張霆堰。

「對。」張霆堰肯定地點了點頭。洪皓遲疑地在鍵盤上敲出自己的名字。

叮噠——

螢幕跳出了自己的信件回覆，洪皓睜大眼睛不敢置信，他沒有寄信給誰，怎麼會收到回信？他迅速前往對應編號的置物櫃取信，走回來時看到張霆堰滿意的笑容。

「這封信是您所寄送的最後一封？」

「是的。」張霆堰一眼就認出了信封上的字跡是自己所寫，不過原本寄件人上的名字已經被劃掉，改寫上了洪皓的名字。

「那怎麼會回信給我？」洪皓還是不明白。

「因為原本就是應該要回給你的信。」

「應該要回給我的信……」洪皓思緒無法轉換過來，傻傻地重複著張霆堰的話：「這是什麼意思？」

是要替他完成他遺憾嗎？這是洪皓腦子唯一浮出的念頭。他的遺憾是無法見到父親的最後一面，親口跟他說話，只是……

「我猜，遺憾收納員是無法寄信的，對吧？」張霆堰這樣說。

「是的，這是規則。」洪皓手裡還拿著信，微微顫抖著：「難道這封信是……」

「是你父親寄來的回信。」燈光下貝雷帽在張霆堰的臉上烙下了半邊的陰影，但仍看得出溫和的眼神：「所以我才幫你寄了這封信，就跟艾珉的一樣。」

雖然在這之前，洪皓早已意識到今晚所有的客人都串聯了同一場意外，只是沒想到竟然也就是讓父親喪生的那場車禍。張霆堰當時在醫院，想必也見到父親了。

「趕快拆開來看吧。」洪皓聞言急忙撕開信封，裡頭是一張常見的直式白色的信紙，開頭寫著「小告」，那是父親對他的暱稱，全世界只有他會這樣叫他。洪皓的手輕輕顫抖著，突然感到眼眶一熱，突然視線一陣模糊，面前似乎浮現了父親的身影。

洪皓第一次見到父親是在他三歲的時候，那時候他的名字是李皓。

當時他正趴在讀書室的書桌上塗鴉，這裡是他最喜歡的地方，有很多漂亮圖片的書，還有五顏六色的彩色筆。當他正把拿著粉紅色的色筆在兔子身上著色時，此時突然有一個陌生叔叔的聲音從窗戶外傳來：「為什麼你的兔子是粉紅色？你很喜歡粉紅色嗎？」他問。

「不是，因為小貓才剛剛出生。」洪皓童言童語的回答。

「小貓？」

「牠的名字，我剛剛幫牠取的。」語畢又埋頭開始上色。

「小皓，快叫洪叔叔好。」此時育幼院的義工陳怡汝走進教室，溺愛地揉了揉李皓的頭。其實李皓並不喜歡這個暱稱，因為他總被其他人「上大號、上小號」的叫著。不過他仍親近地往陳怡汝身上磨蹭過去，陳媽咪是他全世界最喜歡的一個人。

「抱歉，我知道不可以擅自跟孩童接觸，原本我只是想到騎樓下躲太陽，但恰巧就看見他在畫畫，覺得有趣，所以問了他。」

「沒關係，今天由我負責帶你參觀育幼院，我的名字是陳怡汝。」

「妳好，我是洪雋。」

那是李皓第一次見到父親的情景，他從一出生就是個孤兒。

根據李院長的說法，他是在清晨六點在育幼院的門口被發現，當時他只有一個月大左右，在入冬天氣轉涼的十二月全身被厚厚的棉被包裹著，為了防止失溫裡頭還塞了暖暖包，顯然是刻意的安排與遺棄。但除此之外，就什麼東西都沒有留下，沒有名字、也沒有出生資料，於是他被發現的那天就成了他的生日。至於他的名字是院長幫他取的，單名「皓」，姓則是跟著院長的叫「李」。

因此他不僅沒有見過自己的父母，就連線索都沒有，他有的只是棉被與幾個暖暖包。在他的右肩後方有一個像是三角形的淺色胎記，是他與父母唯一可以辨識的連結。不過由於位置的關係，他自己從來都沒有發現過，這是陳媽咪告訴他的。陳媽咪就是陳怡汝，李皓從小就這樣叫她。

陳怡汝並不是育幼院裡頭的職員，她大約是在李皓一歲多的時候開始到育幼院裡當義工，主要幫忙清潔環境與陪孩子閱讀玩耍，也不是天天都會來，只有週末時才會出現。不過自從第一次來當志工後，就幾乎沒有缺席過任何一個週末，她每次只要來育幼院總會偷偷帶糖果給他，因此李皓和她特別親。

那是李皓初次知道週末的意義，他知道只要從一數到五，陳媽咪就會出現。陳怡汝是他除了育幼院裡的人之外最常見到的人。

不過後來最常見的人變成了洪雋。自從洪雋第一次出現後，往後的日子就不定期出現在育幼院，陪他看書畫畫還有玩耍，他也喜歡洪叔叔。到了五歲時，洪雋正式收養了他，他的名字變成了洪皓，改了姓氏但名字沒有變動。當時洪雋三十九歲。

「小告今天要不要去洪叔叔家玩？」要離開育幼院的那天，洪雋摸著他的頭這樣說，取了他名字「皓」的一邊「告」。因為發現了他並不喜歡小皓這個暱稱，因此洪雋總是這樣叫他，也是唯一一個這樣叫他的人。

「可以跟小貓玩嗎？」洪皓仰起小小的臉蛋，興奮地問道。

自從第一次見面後，洪雋就養了一隻兔子，取名叫「小貓」。

「當然可以。」洪雋笑著說。

這兩年的時間，他們兩個早已經熟識，期間洪雋偶爾也會帶他出去玩或是到自己家過夜，這是育幼院的收養程序之一，先是時常見面、再來是加長相處時間，漸進式的接觸，目的不僅僅是讓孩童熟悉大人，更是對大人意志的另一種確認。因此，當洪雋這樣詢問的時候，洪皓以為是跟之前一樣，去外面玩一、兩天，然後會再回來。

終於到了第三天，洪皓才開始覺得不對勁，哭著說他要回家、他要找陳媽咪、他要找育幼院裡的其他小朋友。回家，回育幼院。

「小告，你還記得要怎樣才能見到陳媽咪嗎？」

「數到五？」

「對，從一數到五，我就帶你去找陳媽咪，好不好？」

「真的嗎？」洪皓這才止住了淚水。

「真的，洪叔叔不會騙你。」

從此之後，洪雋一週會帶洪皓回育幼院一次，除了讓他可以回到熟悉的環境、見熟悉的朋友之外，同時也讓院方確認他被照顧得很好。只是卻再也沒見到一向疼愛洪皓的陳怡汝，來不及向她當面道謝。院方只說她辭去義工，本來就不是正式職員，所以也沒留下聯絡方式，在那個行動電話與網路不普及的年代，人可以消失得很徹底。

這樣的來往一直到洪皓上了小學後才停止，當時他已經適應了新環境，完全脫離了育幼院的生活。對於五歲小孩來說，每一天的日子都充滿了新鮮事物，遺忘比記得還要容易許多，從一數到五的日子逐漸變得無關緊要，想念也日益褪去。

新家與育幼院是截然不同的生活。首先是環境，在育幼院基本上沒有什麼私人的空間，好幾個人睡一間臥室、共用生活空間、遊樂設施，從裡到外都是處於開放的狀態，誰都可以隨意進出；但在新家他不僅有自己的臥室、書桌，對洪皓來說這裡是到處都是他專屬的地方。

人口組成也完全不同，育幼院裡含職員加起來約莫三十人左右，隨時都處於鬧哄哄的狀態，唯一安靜的時刻是洪皓睡著的時候；但新家卻很單純，只有洪叔叔與洪奶奶，大多數時候空間都是安靜的，發出的最大聲響是冰箱低沉的呼嚕嚕聲，剛搬過去時，洪皓還會對著客廳大叫，想看看是否有回音。

洪雋從來都沒有要洪皓叫他「爸爸」，雖然被收養時很年幼，但打從一開始洪皓就知道洪雋並非自己的生父，雖然他對於「生父」這兩個字的概念懵懵懂懂，但他只知道一開始叫「洪叔叔」，他就是叔叔，而不是爸爸。不過即使如此，兩個人的相處模式卻跟傳統的父子極為相似，不多話，關係是建立在信任上。洪雋雖然開明，在學業與品行上卻是個嚴格的父親：不可以說謊，這是尊重別人更是尊重自己，然後無論如何都不可以荒廢學業。

「念書不一定可以成功，卻是你一輩子的保障，它能讓你對人生有更多的選擇權。」洪雋總是這樣跟他說。

開始轉換稱謂是因為其他人。上國小後，洪皓某回聽到洪叔叔跟老師說「我是洪皓的爸爸。」洪皓覺得很奇怪，他不是洪叔叔嗎？之後他開始注意到其他人都是「洪皓爸爸」叫著，雖然疑惑，但日子久了後，他也開始跟著叫他「爸爸」。

家裡最親的是奶奶，第一次見面時洪皓便很自然地稱呼起洪奶奶為奶奶，去掉了姓氏稱謂，也剝掉了那層疏離，離開育幼院後她就成了他的避風港。

父親每日都穿戴整齊清潔出門，有時候比他早、有時候比他晚，但回家的時候身上都有著淡淡的消毒水味。

「爸爸，你要去哪裡？」某日洪皓心血來潮問著。

「爸爸要去工作。」洪雋答。

「我可不可以一起去？」

「小朋友不能去，小告乖乖跟奶奶還有小貓待在家裡。」

「那你是做什麼工作的？」洪皓嘟著嘴。

「對大人說話不可以用『你』，重說一次。」

「那爸爸是做什麼工作的？」

「爸爸是做幫助人的工作。」

「那我長大也要做幫助人的工作。」

「真的嗎？好啊。」洪雋疼愛地捏了洪皓的臉。

「嗯！」洪皓用力地點了點頭。

直到中高年級洪皓更懂事後，才知道父親口中「幫助人的工作」其實是醫師。父親是位外科醫師，是替人在生死關頭拉一把的人，從那時候起洪皓就對父親多了一份崇拜。他與洪雋的關係建立並不是出於一種本能，而是天性，親近自己所喜歡的人。

在育幼院成長的孩子大多會變成兩種樣子，一種是學會爭奪，不只是食物、更多的是攫取關注；另一種則是顯得安靜，夠了就好。前者往往覺得只有愛並不夠，但洪皓是後者，只要有愛便已足夠。不管是父親還是奶奶都對他很好，不虞匱乏地生長著，就長不出了別的心思，也因為洪家沒有其他的孩子存在，大多數時候洪皓壓根都沒想起自己是被收養來的這件事。

第一次確切感受到自己確實不是洪雋親生的孩子，是在洪皓十四歲時。當時因為身體不適，進醫院後結果被診斷出來得了肝癌，在經過一連串的治療後，最後醫師仍建議肝臟移植。父親本身就是醫師，也認同這是最後的方法。

一般肝臟移植首選都為其親屬，成功機率最高也無需等候，但洪雋並非他的親生父親，因此只能等待著有人遺愛。「果然不是真的我的父親。」洪皓當時忍不住這樣想，但對此父親一定是比自己更加沮喪。那段日子，父親每天都會抽空來看他，時間或長或短，他們講的話還是不多，可是洪皓發現父親的頭髮漸漸花白。

所幸在等待了兩個月之後，出現了一位好心人願意捐肝，最後洪皓移植成功。康復後，洪皓曾經問過父親那位好心人士是誰？但洪雋只是淡淡地說「因為是匿名捐贈無法知道」，最後只能不了了之。在休息靜養一年後，身體已無大礙，也順利考上了高中，過完這個暑假後他就是一個高中生了。

畢業典禮那天，父親與奶奶都來參加，過程中奶奶開心地不斷偷偷拭淚。典禮結束之後，洪皓繼續留下辦完離校相關事宜。在踏出校門的時候，在喧鬧的人群中發現了一個熟悉的身影。

「陳媽咪?!」看到許久未見的人，洪皓先是有點懷疑，接著便興奮地跑了過去。

歲月的痕跡沒有在陳怡汝臉上留下太多的痕跡，與十年前相異不大，洪皓幾乎一眼就認了出來。

「是陳媽咪對吧？後來妳怎麼不見了？」洪皓開心地拉著她的手，兒時的記憶再度浮現。

「陳媽咪要工作啊。」陳怡汝買了一束花來，將花遞給洪皓後，照往常一樣親暱地揉著洪皓的頭：「恭喜畢業。」

「謝謝陳媽咪，妳怎麼會知道我在這所學校唸書？」

「小皓有空嗎？要不要陪陳媽咪聊天？好久沒見到小皓了。」沉默了幾秒後，陳怡汝這樣問道。

「好啊、好啊。」洪皓蹦蹦跳跳，但才講完隨即又反悔：「不行、不行，爸爸跟奶奶在家等我，等下說要帶我吃大餐，慶祝我國中畢業。」

「這樣啊……那陳媽咪陪你走回家？」

「好啊。」洪皓眼睛發亮。

六月中午的太陽刺眼，陳怡汝不斷拿著手帕擦著汗，洪皓則還是一路上蹦蹦跳跳的，絲毫沒有安靜的打算。

「小皓，慢慢走，注意身體。」陳怡汝忍不住擔心地說。

「放心啦，醫師叔叔說已經沒事了。」洪皓做了一個大力士的動作，但突然像是想到什麼似的反問：「陳媽咪，妳怎麼也知道我開過刀？」

「是……」

「是爸爸跟妳說的嗎？」陳怡汝點點頭，沒多說什麼。

洪家距離學校大約步行十分鐘的時間，一路上大多數的時間都只是洪皓一個人在說話，他講著唸書的趣事、跟哪個同學最要好，爸爸奶奶曾帶他去哪裡玩之類的生活瑣事，陳怡汝始終保持微笑，偶爾在他的話語中附和或提問。快到家門口的時候，陳怡汝的腳步卻突然停了下來，洪皓跟著放慢腳步，疑惑地轉過頭看著她。

「我家不是這裡啦，前面那棟才是。」洪皓指著前方十公尺外的房子。

「小皓……」方才陳怡汝臉上親切的微笑此時已經消失，取而代之是蒼白的臉龐：「陳媽咪有件事想要告訴你。」

「我做錯了什麼事嗎？」陳怡汝嚴肅的表情讓洪皓害怕了起來。

「沒有，小皓沒做錯事，做錯事的是陳媽咪。」陳怡汝深深吸了口氣，接著才說：「你剛剛不是問陳媽咪為什麼知道你開過刀嗎？」
「對，怎麼了嗎？」
「因為陳媽咪就是捐贈肝臟給你的那個人。」
「什麼？」洪皓一臉困惑：「但是，爸爸說不知道是誰捐的。」
「他知道。」陳怡汝搖了搖頭。
「那他為什麼要騙我？他說不可以說謊的。」洪皓不相信。
「因為他不想讓我們見面……」
「騙人，爸爸不會這樣做。」洪皓情緒漸漸激動了起來：「妳騙人！」
「小皓，你不要激動，先聽我說……」
「我才不要聽，陳媽咪騙人。」洪皓雙手摀著耳朵。
「小皓……」
「我不要聽、我不要聽。」
「小皓，」陳怡汝試圖拉開洪皓摀著耳朵的手未果，於是喊叫了一聲：「因為我是你的媽媽。」

「我不要聽、我不要聽。」

「我是你的親生媽媽。」陳怡汝又說了一次。

「什麼……」這回洪皓聽見了。

「小皓，對不起……」陳怡汝伸手觸碰洪皓的肩膀，他往後退了一步。

「妳騙人，妳才不是我媽媽！」

「對不起，媽媽當時是走投無路，所以才會……請你原諒媽媽。」說著說著，陳怡汝掉下了眼淚。

「我不相信，妳是騙子！」

「對不起、對不起。但媽媽現在都好了，可以接你回去了……」

「我不要！」洪皓硬生生打斷她的話：「妳是騙子，我不會相信妳。」

「那個胎記，那個三角形的胎記，是你出生就有的，我不會認錯……」陳怡汝指著自己的右肩膀。

「妳把我丟在育幼院，然後自己又跑來當義工？沒有人會相信妳說的話。」

「因為我想要補償你……」

「我不會這樣就被妳騙了。」

「如果你不相信我的話，你可以問你爸爸，你問他。」陳怡汝急急地說。

「那時候妳不要我！」洪皓大喊，狠狠地把花束推回陳怡汝手中，眼淚忍不住奪眶而出。

「小皓……對不起……」

「妳才不是我媽媽，妳回去、妳回去，我再也不要看到妳。」洪皓使盡力氣推著陳怡汝。

「小皓……」陳怡汝不知所措，一邊用手拭淚一邊阻擋著。

「我才不要跟妳回去！我才不是妳的孩子！」最後洪皓對著她大吼了一聲，轉身跑進公寓。陳怡汝只能站在原地不斷掉著眼淚。

衝進家門的洪皓，一聲招呼都沒打就直接衝進去自己的房間，佐以重重的摔門聲。洪雋從來都沒有看過他發這麼大的脾氣，洪奶奶看了兒子一眼，洪雋點點頭去敲了洪皓的房門。

叩叩——

「小告，我可以進來嗎？」

房間裡頭默不出聲。

「那我就當作是你答應了。」洪雋推開門，看到洪皓整個人縮在被單裡，微微隆起的弧度像是烏龜的殼。

「在學校發生什麼事了嗎？剛剛不是都好好的？」

還是不出聲。

「爸爸不會讀心術喔。」

洪皓還是不出聲，原以為父親會再繼續詢問他，但沒想到接著就是一陣的靜默。不知道過了多久，洪皓終於受不了，將頭從棉被裡面探出，看見父親正拿起他桌上五月天的歌詞本在閱讀。

「不要亂翻我的東西啦。」洪皓一把跳起搶過歌詞本。

「喜歡五月天？」

「嗯。」

「爸爸也喜歡〈志明與春嬌〉。」洪皓詫異的看著父親，他也知道五月天？

「要說說發生了什麼事嗎？」

「沒事。」洪皓果斷回答。

「不可以說謊喔。」

洪皓再度沉默了。

「見到陳媽咪了？」

洪皓轉過頭再次驚訝地看著父親。

「果然猜對了。」洪雋摸摸洪皓的頭：「你是在生氣爸爸沒跟你說？」

「嗯。」洪皓低頭翻閱著詞本。

「其實我也是在一年前才知道她是你的生母，當時也很驚訝。」

「是因為我要換肝嗎？」

「對，當時正在等候有人願意遺愛，焦頭爛額的，就是那時候陳怡汝小姐，就是你的媽咪出現了，她說願意捐肝。」

洪雋停頓了幾秒：「也表明了她其實是你的生母，之後做檢測時證明了這件事。

這些年來她其實一直都在暗中留意著你，原本我們協議好等你再長大一點後再跟你說，但沒想到她今天……」

「她不是我媽媽！」洪皓打斷話。

「小告，不可以這樣。」

「為什麼不可以？這些年她躲在哪裡？」洪皓怒吼著。

「她有她的苦衷，當時她經濟無法允許……」

「現在可以養我了，所以才要出現？」

「小告，你一直是個善解人意的孩子，怎麼這麼倔？」洪雋皺著眉。

「那她現在出現是要做什麼？」

「她想讓你知道她的存在，」洪雋停頓了一下：「她想當你的媽媽……」

「她不是我媽媽！她已經不要我這麼久了！」洪皓控制不住憤怒的情緒。

「她沒有不要你……」

「爸爸為什麼要替她說話？她就是一個壞人！是她把我丟在育幼院門口，讓我變成了一個孤兒！」

「你不是孤兒，你有我跟奶奶。」

「她把我丟在育幼院門口！」

「小告！」洪雋厲聲斥喝。

面對父親的斥責，洪皓頓時委屈地紅了眼眶，眼淚不爭氣地掉了下來：「我又沒有做錯事，嗚嗚……」

「好了，改天再講，先吃飯。」此時奶奶出現在門口圓場，洪皓見到救兵立刻奔向奶奶哭訴。見母親出現，洪雋也只能點點頭應和。

隔天，洪皓去了刺青店在右肩上刺了一個骷顱頭的圖案，試圖掩蓋掉胎記。洪雋看到沒多表示什麼。

整個暑假，洪皓都在跟父親生著悶氣中度過。他成天往外跑，若是在家裡就只待在自己的房裡，連奶奶都跟他說不到幾句話。

八月開學前的最後一週假期，為了把握時間，洪皓一早就跟同學去了海邊玩水，穿著背心的他雙肩曬得紅通通。傍晚回家經過台北車站準備轉搭捷運時，在人來人往中的地下道中，突然被角落一個櫃檯吸引，點著燈的小窗台像是在等著夜歸的人似的。

洪皓覺得好奇，走近一看，發現櫃檯裡的人非常眼熟，定眼一看竟是自己父親！

「小告？」洪雋看見洪皓出現在遺憾招領中心也同樣嚇了一跳。

「你怎麼會在這裡？」兩個人異口同聲說出了一樣的話。

「我剛跟同學去海邊玩，正要回家，爸爸不是應該在醫院嗎？」洪皓結結巴巴，有種許久未見的生疏。

「小告……看得到這裡？」洪雋一臉驚訝。

「對啊，這裡很特別嗎？」洪皓將身體往後仰，看了看周圍，沒有發現什麼奇特的東西。

「你要寄信？」洪雋遲疑地問著。

「寄信？寄給誰？」這下換洪皓感到疑惑了。

洪雋點了點頭，接著指著不遠處的椅子說道：「小告我們聊聊。」

「喔。」

「原來小告已經快比我高了。」並肩時，洪雋突然這樣說，洪皓也才發現自己在不知不覺中，已經從以前只到父親腰際的小男孩長大了，日子時常是過得無聲無息。

「當然，我都快高中了。」

「這點像我。」洪雋笑著說，他的身高一百八十公分。

「哪有好的都像你的道理。」洪皓嘀咕著，接著又說：「爸，你怎麼會在這裡？那裡是什麼地方？」

「氣消了？」洪雋沒理會他的問題，自顧問著。

「嗯。」洪皓點了點頭。

「不可以說謊喔。」洪雋直直盯著洪皓看。

「是還有一點生氣。」洪皓心虛地講。

「對不起，爸爸不應該瞞著你的，是我的錯。」

「爸……」面對父親突如其來的道歉，洪皓頓時有點不知所措。

「在我的心中你一直都是小孩，總想著要如何不讓你受傷，但忽略了其實你已經長大了，有判斷的能力了。」洪雋語重心長：「再說，無論如何她總是你的生母，不管你決定與她的關係為何，你都應該有選擇權才是。」

「我知道，你是想保護我。」

「人都會有犯錯的時候，有時候你只能去想對方的出發點，而不是去計較最後如何如何，沒有人可以預測未來的事。」洪雋語頓了一下，又說：「她當初也是想保護你的吧。」

「她把我丟在育幼院門口！」洪皓語氣仍忿忿地。

「那是她唯一可以想到對你最好的方法了。」

「一定有更好的方法，一定有。」

「永遠都會有更好的方法，永遠。」洪雋補充著：「但你也永遠都不知道什麼方法才是最好，人是很脆弱的生物。」

洪皓沉默不語。

停頓了半晌後，洪雋才又說：「你是不是覺得爸爸不要你了？」

洪皓點了點頭，眼淚掉了下來。

「傻孩子，怎麼會這樣想呢？」

「因為我不是你的……」

「你是我的孩子。」洪雋打斷：「就算你與母親相認，你永遠都是我的孩子。」

「爸……」

「小告馬上就要是一個高中生了，我還記得第一次見到你的時候，你正在畫兔子，時間過得真快。」

「小貓？」

「對，小貓。」洪雋微微一笑：「把眼淚擦一擦，眼睛都哭腫了。」

洪皓胡亂用雙手把淚水抹掉，接著突然意識到什麼，望了櫃檯一眼問道：「對了，爸，你怎麼會在這裡？」

「爸爸也在這裡工作。」

「工作？爸爸不是醫師嗎？難道這裡是志工？爸爸每天都會來嗎？」洪皓一口氣丟出許多問題。

「志工嗎？某種程度也算是。遺憾招領中心只在每星期三下午的五點到七點開張。」洪雋微笑著，思考了幾秒後繼續說：「這裡是遺憾招領中心，是一個可以替人將信件寄回到過去的地方。」既然洪皓可以看見這裡，就表示他也是「被選中之人」。

「聽起來好酷，是真的嗎？」洪皓沒有覺得洪雋的話是天方夜譚，反而睜大眼睛興奮得不得了。

「真的，爸爸是遺憾收納員，專門幫忙收信與寄信的人。」

「我也可以來幫忙嗎？我要滿十六歲了，而且上高中後四點半就下課了。」洪皓躍躍欲試。

「遺憾收納員只需要一個人就可以了。」洪雋停了一下，又說：「但或許以後會需要你也說不定。」

「喔。」洪皓聽了有點失望，但隨即又提出新的疑問：「那寄信是寄給誰？以前的人嗎？古人嗎？」

「再也見不到的人。」

「是死去的人？」

「不一定，『見不到』不一定是非要是死亡的人不可，而是『無法再見的人』。」
「為什麼要寄信給見不到的人？」
「為了完成遺憾。」洪雋微笑著：「以前來不及說的話、來不及做的事，可以透過信件傳遞有重來一次的機會。」
「喔，所以爸爸的工作就是幫忙整理信件。」突然聽起來不酷了。
「所謂的『遺憾收納員』，並不是收納信件物品的人，而是替人們幫忙保管遺憾的人，在物歸原主之前，好好地保存著。是很溫柔的工作喔。」洪雋摸摸洪皓的頭又說道：「這也是一份讓人得以跟過去好好告別的工作。」
「意思是就可以遺忘了嗎？像失憶那樣？」
「不是，」洪雋搖了搖頭：「是可以跟過去和好了，不會再為它傷心了。」
「嗯？」洪皓似懂非懂。
「遺憾就像是雨傘上的小破洞，一遇到下雨就涔涔地滴著水，打在身上，全身濕淋淋。」洪雋舉例說明：「人的一生，有時會遇到晴天，但有時候也會遇到雨天，但你手邊卻只有這把傘而已。」

「所以爸爸是修補破洞的人？」

「對，爸爸醫師的工作可以修補人們身上的傷口，但遺憾收納員修補的卻是人們心上的破洞。」

「但為什麼不乾脆換把傘就好？」洪皓天真地問著。

「因為人生無法說換就換。」

「喔。」洪皓點點頭表示懂了。

「就像是你的胎記一樣，」洪雋看了一眼洪皓右肩上的刺青：「無論如何都不要否認自己的過去。」

「爸……」此話一出，洪皓頓時漲紅了臉。

「小告，不管你的決定是什麼，爸爸都會尊重你，你只要順從自己的心就好了。」洪雋捏了捏洪皓的臉頰：「不管怎樣你都是爸的孩子，一週後再來這裡跟我說你的決定是什麼吧。」

「好。」洪皓應允。

這是洪皓與父親最後一次的長談。接下來的一週，他反覆思考著父親的問題，這是他的人生第一次為自己做重大決定。可是就在約定日的前一天晚上，傳來了父親在路上為了救一個闖紅燈的小孩發生車禍的消息。

那天是九月三日，刺耳的電話聲劃破夜空，洪皓當時正坐在餐桌前等父親回家用餐，掛上電話的奶奶噙著淚水努力不哭喊出聲偽裝堅強的模樣，他永遠都不會忘記。

「皓皓，你先回去休息，已經快一天一夜沒睡覺了。」奶奶一進到病房就跟洪皓這樣說，她剛從家裡過來。

昨天晚上知道父親出車禍後，他們兩個人連忙趕到醫院，只見一向健壯的父親此時身上正插滿管，醫師說陷入昏迷需要再觀察，若這兩天有醒來就會好轉，反之或沒有就要做好心理準備。

今天剛好也是洪皓高中開學日，但他堅持要守在醫院，不肯去學校。到了中午，醫師表示情況暫時穩定，因此奶奶先回家盥洗休息，現在則回來換班。

「那我回去一下就過來。」洪皓看了時鐘，現在時間是傍晚四點半。

奶奶點了點頭，示意要他快回去。

捷運上人聲喧嘩，洪皓的身體跟著前進的列車微微晃動著，他恍恍惚惚地想起自己小時候的事，零零散散的，就像是時間裡的碎片。洪皓記憶起，小時候出門時父親總是會牽著他的手，他是何時不再牽著自己了呢？還有在他九歲時小貓過世時，他們替牠辦了一場喪禮，他嚎啕大哭父親摟著他的肩安慰的畫面……想著想著，洪皓突然哭了出來。

「台北車站，轉乘淡水信義線，請在本站換車。」

聽到廣播聲，洪皓趕緊擦掉眼淚跟著起身，他需要在此站換線。一踏出車廂，洪皓抬起頭尋找淡水線的指標，在眼花撩亂的指示牌中，突然看見了「招領中心」的字牌，洪皓馬上就聯想到了那個父親擔任遺憾招領員的地方。

今天也是星期三，一週前的今天他在遺憾招領中心遇到了父親，也約定好了今天要告訴父親自己的決定，可是此時他卻躺在醫院的病床上。

「遺憾招領中心只有在每星期三下午的五點到七點開張。」

洪皓循著淡水線的指標搭上向下的手扶梯，突然記起了父親說過的這句話，也想起了父親對於那個地方慎重的心情。他看了看手錶，此時的時間是四點五十三分。

今天父親不在，那麼遺憾招領中心誰負責呢？洪皓突然冒出了這樣的疑問，不過就一個瞬間，突然他念頭一轉，才剛抵達地面後隨即又折返再搭上向上的手扶梯。他快步急急地走著，一面尋找招領中心的字樣。上週自己是歪打正著，並沒有刻意記憶路線，根本沒有把握能夠再次遇到。

嗶嗶——刷過悠遊卡出站後，洪皓在人潮洶湧的地下街裡像是無頭蒼蠅般亂竄，有目的地卻沒有方向，他只能不斷地往前走、往前走，然後希望有奇蹟出現……

「找到了。」眼前不遠處出現了一窗明亮，洪皓知道自己已經到了，他再次看了時間，是四點五十九分，然而櫃檯內卻一個人都沒有。

「哈囉，有人在嗎？」洪皓往裡頭喊了一聲，偌大的空間傳來輕微的回音，但就是沒有人回答：「這怎麼辦？」

「請問，這裡是遺憾招領中心嗎？」就在洪皓煩惱的時候，身後傳來一位女人的聲音。

洪皓聞聲轉過頭，發現是一位年約四十歲的女人，她的手上正拿著一封信件。他看了看櫃檯上方的時鐘，此時正好是五點整。

「是的，妳好……」洪皓本能地反應著，但其實心裡頭沒有任何頭緒。

「太好了，找到了，我還擔心找不到，或是根本是騙人的。」女人態度明顯鬆了一口氣，雖然臉帶著微笑，但卻紅了眼眶，偷偷拭了淚。

洪皓愣愣地看著她的神情，突然也感到安定下來，有種確切在他心裡油然而生。

「那麼，請問你也是來寄信的嗎？」女人問。

「不是、不是，」洪皓連忙揮揮手，接著就脫口而出：

「我是遺憾收納員。」

當晚七點，洪皓準備離開遺憾招領中心時，奶奶來了電話，她在那頭焦急地說：「皓皓你快來醫院，快點！」洪皓心臟狂跳，他迅速趕到醫院，見到奶奶站在病床旁哭泣，他趕緊上前安慰。當晚九點，父親離世。那時來不及告訴父親的答案，是洪皓永遠的遺憾。

一九九九年

「洪醫師，下班啦。」正當洪雋準備把醫師白袍脫下擺進櫃子時，剛好進門的護士這樣問。「對啊，今天比較早。」牆上的時鐘此時正指著六點三十四分。

熟悉的藥水味傳入洪雋鼻腔，感到一陣安心。從一開始的無法適應，現在這些刺鼻的味道已經變成了是一種日常，一種示意著事情如舊的象徵。在像是醫院這樣的地方待久了之後，所有的不尋常都會變得尋常。

「開始下雨了，記得帶把傘喔。」護士貼心提醒著。

「不是早上才放晴嗎？怎麼又下雨了。」

護士只是聳了聳肩一副無可奈何的表情，推開門出去。

換好衣服後，洪雋提著公事包推開了休息室的門扉，喧鬧的聲音混雜著尖叫與哭泣聲而來，病床的輪子滑過地板發出喀機喀機摩擦聲，冷色調的日光燈管讓每個人都面目蒼白。走向門口，外頭果然傾盆大雨，洪雋將手伸進去公事包撈啊撈，想拿出裡頭的折疊雨傘，掏出雨傘的時候，一個信封跟著掉了出來。

洪雋撿起了信封，上頭的收件人寫了「洪先生」，寄件人則是「張霆堰」，他對這個名字沒有印象，但引起他注意的是郵寄地址上那一連串的數字——

1999090316000000

這是……?!洪雋立即知道這封信代表的涵意是什麼，替人寄送信件這麼多年，沒想到有天自己竟然也會收到。一九九九年九月三日，日期不就是今天嗎？這不就表示……洪雋思考著今天見過的人，試圖從裡頭尋找出這位張霆堰，但醫院來往的人眾多根本毫無頭緒。

洪雋選了張鄰近的座椅坐下，打開信封，裡面只裝著一張信紙，但上頭沒有任何的字句，他對著空白的信紙沈思起來。他的這一輩子大多數的時間都是在醫院中度過，因為職業的關係看慣了生離死別，對於人生並不執著，讓他牽掛的只有母親與小告。父親過世的早，他從小就是由母親一人拉拔長大，栽培他讀醫學院、實習，最後也很爭氣當上了醫師，可以說是母親用自己的一生換取了他的成就。雖然有辛苦的時候，但他的前半生幾乎可以說是一帆風順，一直到了三十七歲的時候遭遇到了他人生最大的打擊。

洪雋仍然記得那天也同樣是陰雨的天氣，他與妻子原本預計要去登山，但陰天況不佳而考慮取消，在過程中兩人起了爭執，互不相讓。最後他們仍是決定依照原定計劃進行，但在山路上卻遭遇土石流，落樹直壓住車身，妻子送醫後不治，而他則是昏迷了兩天後醒來。妻子離世後，他萎靡了好一陣子，腦中不斷盤旋的是與妻子最後爭執的畫面，懊悔不已。

也是在這樣的情況下，他心中揚起了想要收養孩子的念頭。起初母親是反對收養，洪雋還年輕，有的是機會再生孩子，但他心裡並不這樣認為。洪雋並不確定自己能否再與誰相愛，但他知道自己有能力去愛一個孩子。

於是在母親不知情的情況下，洪雋獨自去拜訪了育幼院，就在那時他看到了洪皓，這個把兔子取名為小貓的小男孩引起了他的注意。之後一有時間他就會去育幼院，越是跟洪皓熟稔越是喜歡這個孩子，最後才決定要收養他。這些過程洪雋都是瞞著母親私底下進行，一直到某次帶洪皓回家時，她才發現了這件事。

洪雋原本預期母親的反應會很激烈，但沒想到洪皓一句「奶奶」就把她給融化，再也沒提過反對。不過即使他擁有讓人尊敬稱羨的職業，但單身收養仍是一件困難的事，書信申請、確認條件、探訪到試養，流程共跑了兩年多的時間，過程中還一度以為沒了希望。

收到法院通知的那天，也剛好是洪雋第一次聽到遺憾招領中心的日子。

第一次見到施景元老先生，是他因為胸痛現象來到醫院來看診，年紀六十四歲。檢查後，確診為心臟瓣膜閉鎖不全，但情況並不嚴重，只要吃藥與定期追蹤就好。施老先生是一位幽默風趣的人，沒有因為生病而面容憔悴，常常在他看診時主動帶起話題熱絡氣氛，不僅洪雋對他印象深刻，連護士們都很喜歡他。

就在某回的閒聊過程，他說出了自己現在正在「遺憾招領中心」工作，當時洪雋只是覺得這個公司名字奇特，老先生則是神祕兮兮地說：「那是一個可以將信件寄回過去的地方喔。」洪雋覺得老先生如同往常一樣在開玩笑，心頭逕自猜想那可能是一處慈善機構，因此沒有多加詢問。

到了一九八九年，施景元的病症加重，疾病導致左心室肥大，造成心臟衰竭，因此需要進行二尖瓣置換手術。

「洪醫師，請問手術大概要進行多久？」手術當天清晨，當洪雋在正在替施老先生施打點滴時，他突然這樣問道。

「一般大概是四到五個小時。」洪雋說，接著又補充：「聽起來好像很長，但實際進行很快，您睡一個午覺醒來就完成了。」

「這樣啊，那結束時不就大概是三、四點的時候……」施老先生念念有詞：「洪醫師，我可以麻煩你一件事嗎？」

「請說。」

「之前我有跟你提過我在遺憾招領中心工作，你還記得嗎？」

「遺憾招領中心？對，有點印象。」洪雋邊用聽診器聽著他的心跳邊回答。

「我是那裡的遺憾收納員。」

「遺憾收納員？」這個詞彙倒是洪雋第一次聽到。

「是專門幫人收納信件的人，並將信件寄回到過去。」

施景元語氣肯定，但洪雋卻是越聽越皺起了眉頭，心想著：難道老先生要是我幫他寄信嗎？就在洪雋遲疑的眼神下，老先生說起了自己是如何遇到遺憾招領中心。

他原是台北人，後來因為教職的關係搬遷至花蓮，沒想到在一九七二年發生了花蓮瑞穗地震，他被壓在瓦礫堆下兩天，在鬼門關前走了一回才被救回來，那場地震共毀壞了超過五十棟房子，奪走了五個人的性命。就因為那場地震，讓已經任教超過二十五年、年屆五十原本已經思考著是否退休的他，直接辦退回到了台北。

退休之後，他開始擔任慈善單位的志工，日子仍然過得充實。在某個冬日週三傍晚，經過台北車站的時候，在一處角落發現了一個亮著燈的窗台，像是在招喚著他。施景元走過這裡無數次，從來都沒有發現過，是新開的店嗎？

「您好，這裡是遺憾招領中心。」當施景元好奇地走近時，裡頭身穿黑色西裝的人這樣說，是一位看起來年約四十歲的男子。

「原來是車站的招領中心啊。」施景元恍然大悟。

「請問您有東西要寄送嗎？」男子這樣問。

「寄送？這裡是郵局嗎？剛剛不是說是招領中心，怎麼又變郵局了？」施景元又迷糊了：「不、不，我沒有東西要寄。」

「沒有東西要寄送……？」男子遲疑了一下，又說：「這麼說來，你是『收納繼承員』了。」

「收納繼承員是什麼？」

「如果你不是來寄信的，那就是這裡挑選了你，要你繼承我的位置。」

「不是、不是、不是，你應該是誤會了，」施景元連忙揮手，覺得自己遇到瘋子，轉身就要離開：「我不是什麼收納繼承員。」

「這裡不是每個人都能夠看得見。」黑衣男子突然這樣說。

施景元聞言停下腳步，他抬起頭看了看周圍，雖然有不少行人通過，但卻沒有人多看這個櫃檯一眼，就像這裡是空氣，根本不存在一樣。他開始感到害怕。

「能夠看到這個招領中心的，都是被挑選的人。」

「被誰挑選？」

「遺憾招領中心。這裡只有兩種人可以看到：一種是來投遞遺憾的人；另一種則是遺憾收納員。既然您不是來寄信的，那就是後者了。」男子頓了一下，又問道：

「你是不是有經歷過生死關頭？」

「嗯。」施景元點點頭，想起了瑞穗地震。

「那就沒錯了，遺憾收納員的唯一條件是必須經歷過生死才行。」

施景元越聽越迷糊，正當他準備再次提問時，黑衣男子開始自顧自地解說遺憾招領中心的規則及運作，不理會他的困惑。

「來了，你就會懂了。」黑衣男子只是笑著這麼說。

「不、不、不，你一定是搞錯什麼了。」施景元仍舊抗拒著，直接轉身離開。可是才往前走了幾步之後，決定要躲在一旁偷偷觀察，結果發現真的有人去寄信。

這就是施景元第一次見到遺憾招領中心的情形，或許是好奇心驅使，也或許是冥冥之中的牽引，隔週三他好奇地再次去了台北車站，同樣又看見了陰暗中亮著燈的窗台，然後又再隔一週、下一週，最後繼承了遺憾收納員的工作……一直到今日。

施景元煞有介事地講著這個故事，只是洪雋仍然半信半疑，他是醫師，不相信這種神話故事。

「洪醫師，聽護士說，你也有過生死交關的時候，對吧？」施景元緊緊地握住洪雋的手。

「嗯。」洪雋點點頭不否認。

「我已經年邁了，自從生病之後，就一直在等待著收納繼承員出現，但始終都沒有，心裡很著急。」

「施先生，雖然是要開刀，但並沒有那麼危險，我看以您的狀況，大概休息一週最多兩週就可以回家了，到時候還是可以回去工作，您放心。」姑且不論他說的話真假與否，但洪雋的安慰是事實。

「可是今天是星期三。」

「星期三怎麼了嗎？」

「遺憾招領中心每週只開張週三這一天，是否可以麻煩你幫我去一趟？」

「可是……」洪雋面露難色，接著突然想到什麼似的：「我想客人多等一兩週應該沒關係的，等您休養夠了再回去工作也不遲。」

「有些遺憾是無法等待的。」

「這……你公司有張貼徵人啟事嗎？還是有機會我幫您問問誰對這份工作有興趣？」洪雋試圖想要抽回自己的手。

「我知道這個不情之請可能很為難，但眼前我能夠麻煩的人選也只有你了。」施景元仍然緊握著洪雋的手：「況且說不定其實你看不到遺憾招領中心，如果是這樣那就證明了你不是那個人選，不是也很好嗎……」洪雋只是沉默著。

「你只要去看看就好，只要看看就好。」施景元眼神熱切地說。

「好，我就只是去看看，只是看看。」洪雋終於妥協。

「太好了、太好了。」

「那麼我應該怎麼去？怎麼找到你說的那個地方？」

「遺憾招領中心。」

「對，遺憾招領中心。」

「如果它願意讓你看見，你只要去了就會找到。傍晚五點到七點開張。」施景元補充說：「你去了，就會懂了。」

手術很順利，結束的時間是下午四點。手術結束時，洪雋仍在猶豫著是否理會施景元的請求？或是日後當他問起時，直接表明自己去了但沒找到就好？只是為了這種小事說謊實在沒必要，況且以他的經驗，說謊通常是困擾的開始。

準備離開醫院時，洪雋特地再繞去了病床前一趟，施景元仍在沉睡當中。
他搭上了公車依約在台北車站下車。這年台北車站才新建完成，橘紅色屋瓦在陽光下閃耀光芒，偌大的建築顯得氣派無比，這也是落成後洪雋第一次來。
車站前的忠孝西路車水馬龍，洪雋沒有看到斑馬線，只好穿越地下道前往，他看了手錶，此刻的時間是四點四十三分，開始著急是否能夠找到老先生說的那個地方。就在焦急的時候，他抬頭看到了「招領中心」的指標，循線前往，果然如同老先生說的一樣，有一處小窗似的櫃檯在陰暗處散發著光芒，像是指引著他一樣。
「是這裡嗎？遺憾招領中心？真的存在？」洪雋愣愣地想著。
窗台旁有一扇不顯眼的門，洪雋輕輕一推門就開了，進門之後發現裡面是一排排的白色置物櫃，就像是圖書室裡的書櫃一樣整齊排列著，櫃檯前有一架電腦，彷彿科幻場景的畫面，他想起老先生上午說的話，一時之間有點不知所措。
當他靠近電腦時，螢幕像是有感應一樣突然亮了起來，正當洪雋覺得奇異，一個女性的聲音突然傳進了他的耳朵。
「請問這裡可以把信寄回過去，對嗎？」

洪雋抬起頭一看，是一位滿臉焦急、年約三十的女性，他再次看了手錶，時針指的位置剛好就是五點整。

真的有客人？真的可以把信寄回過去？……

洪雋自然地接過信件，一邊在腦中努力回想老先生跟他提過的規則，此時螢幕上跳出了訊息，指示要他輸入寄件者的名字。就像是本能一樣，洪雋竟然可以處理好所有的事情，連他自己都覺得不可思議。

當晚帶著奇異的心情回到家，洪雋躺在床上無法成眠，不斷思考著老先生的話。自己是他所謂的「收納繼承員」嗎？這個世界是否有自己無法理解的事情存在著？他仍是不確定。輾轉了一整晚，隔天進到醫院，洪雋馬上就去老先生的病榻前。

「我正打算找你而已，你去了嗎？」施景元滿臉神清氣爽，氣色很好，一看到洪雋，立刻就問道。「去了。」洪雋站在病床旁。

「找到了？」

「找到了。」

「太好了，我果然沒猜錯。一切都是安排好的。」施景元開心地笑出聲。

「我可以寄信嗎？」洪雋突然開口。

「寄信？……」施景元遲疑了一下。

「我要自己驗證過，才能確定是真的。」

「你想寄信給你的妻子？」施景元想起某次閒聊中，護士提過洪雋已故的妻子。

「對。」

「當然可以，因為你還沒有正式成為遺憾收納員，所以有權利寄信。」施景元特別又補充：「不要試圖想改變過去，否則信會無法寄到。」

「好，沒問題。」洪雋點點頭答應。

他們約好了隔週三在遺憾招領中心見面，洪雋依約準時出現，遠遠地就看到老先生站在櫃檯裡向他招手。

洪雋依規定在信封寫上與妻子最後見面的日期，裡頭只裝著一包小熊軟糖。這是他每回道歉時會送她的東西，她最愛的零食，只要軟糖出現了，就表示他在求和了。

將信遞給老先生後，洪雋的視線一刻都沒有離開過置物櫃，眼見為憑。

叮噹——

信很快就回覆了，洪雋急急地打開信封，發現小熊軟糖已經被撕開，眼眶突然一陣濕熱。「她收到了、她收到了……」握著妻子的回信，洪雋將頭埋在雙手中，哭得不能自已，就在那一刻起，他與遺憾招領中心結下了不解之緣。

那已經是十年前的事了，他成為遺憾收納員一晃眼就是十年的時間。此時洪雋仍坐在醫院門口旁的椅子上，雙眼盯著信紙思考了幾秒後，神態隱約露出了一絲寬慰，接著動手開始寫信。完成後他將寄件人張霆堰的名字劃掉，改寫上了「洪皓」，最後收進公事包裡，然後起身步出醫院。

嘩啦嘩啦——

透明玻璃門一開啟，雨聲隨即傳入耳朵，洪雋抬起頭看了天空深深吸了一口氣，張開雨傘走入雨中。

小告：

你現在好嗎？不知道你那裡是何年何月？當你收到這封信，代表我已經不在你身邊了，但同時也表示你繼承了遺憾收納員的工作。很感謝替我寄這封信的張先生。

我知道自己是嚴格的父親，但只希望無論如何，你都可以知道我多麼以你為傲。不是因為你繼承了這份工作，而是你始終都是一個善良體貼的孩子。第一次在育幼院見到你時，你正在將兔子塗上粉紅的顏色，就知道你擁有可以看見事物本質的能力。

當了醫師這麼久，更深深體會到未來一直都是不可預測的事，過去無法改變，所有發生的都是應該要發生的事情，但我始終相信不管遇到什麼難關，你總可以度過。

幫我照顧奶奶，無論我在哪裡都會一直看顧著你。

父 洪雋 筆

洪皓顫抖著手，淚眼矇矓地讀完整封信，心中的破洞被某種溫熱給填滿，久久不能自已。他看著眼前滿頭花白的老先生，模糊中他的臉龐與父親的臉重疊在一起。

「對不起，雖然微不足道，但這是我唯一可以想到的補償，對不起。」張霆堰對著洪皓深深鞠了個躬。

「張先生……」洪皓看著眼前這位滿懷歉意的人這樣說：「這件事不是您的錯。」

張霆堰詫異地抬起頭看著洪皓。

「您也很傷心吧。」洪皓紅著眼眶這樣說。

父親剛過世的時候，洪皓曾經怨天尤人，他憤恨不平，父親是這麼好的一個人，但卻這麼早就離開，他埋怨世界的不公平。那段日子支撐著他沒有倒下的是奶奶，她只剩他一個親人了，他非要成為奶奶的支柱不可。因此，他被迫在一夜之間長大，成為了一個大人，也成為了一個遺憾收納員。

當時洪皓只顧著堅強，也只能堅強，這是他活下去的方法。儘管他做著父親口中「溫柔的工作」，但其實心上卻像破了個洞似的，在引領他人「與過去好好告別」的同時，內心卻有著寒風吹拂在呼呼作響。

不過，最終拯救他的也是遺憾招領中心。每當看著一個個寄件人滿懷愁容地來寄信，最後卻懷抱著笑容離開，他的心也跟著被治癒了一部分。心裡頭的破洞，稍稍被填滿了一些。他與母親也開始有了聯繫，說不上親密，但至少不再是道不可碰觸的傷疤。別在活著的時候再增添遺憾，他如此相信著。

遺憾，是為了讓我們更珍惜現在而存在。這是這麼多年來，他所學到的事情。

洪皓心裡頭明白，遺憾招領中心美其名是把信件物品送回到過去以彌補過往遺憾的地方，但其實更是為了完成活著的人的遺憾。是為了填補生者心中破洞而存在。

就像是父親曾說過的，把遺憾傳遞到過去並不是為了改變什麼，過去是無法被改變的，嚴格來說比較像是填滿漏洞而已。不只是讓離開的人不再有遺憾，更是讓活著的人有繼續下去的力量。遺憾收納員就像是個修補破洞的人，替每個人修補缺憾，至少讓你在陰雨時候不會濕透。

而此刻在自己眼前不辭辛勞來送信的這位老先生，心裡頭一定也有個破洞吧。說是為了替兒子彌補些什麼，但其實是為了修補自己吧，就跟每個來這裡的人一樣。

「您沒有寫信給自己的兒子，而是選擇替其他人完成遺憾，是因為覺得自己愧對於他，對吧？」洪皓反問著。

張霆堰再次露出詫異的表情，最後點了點頭。他始終都在懊悔著，要是他當時最初沒有阻撓兒子與婧淇交往，就不會有後來的爭執，更不會有那場車禍。

「您只是嘗試在做一個好父親罷了。」洪皓想起了父親的話：「那是您當時唯一知道對他好的方法。」

聽到這句話，張霆堰頓時眼眶被淚水給充滿，無法言語。

「不要再怪自己了。」語畢最後洪皓也對張霆堰深深鞠了躬：「謝謝您幫我寄這封信，我等了它好久。謝謝您。」

所謂的「療癒」，其實並不在於一個人做了什麼事、說了什麼話，而只是那份發自內心溫柔的心意而已。就因為感受到這樣的善意，才能夠擁抱自己，然後和解。

「能有這樣的地方真的是太好了、太好了。」張霆堰終於能再次吐出話語，他再次鞠躬，然後杵著枴杖轉身緩步離開：「謝謝、謝謝你。」

其實我們每個人都是遺憾收納員，可以圓滿別人的遺憾。望著張霆堰逐漸走遠的背影，洪皓突然這樣想到。

喀噠噠——

櫃檯上方的時鐘發出細微聲響，時間來到晚上七點整。櫃檯後方的燈與電腦螢幕瞬間同時熄滅，只剩下櫃檯前的一盞小燈還亮著。洪皓轉身步出白色的房間，門扉輕輕闔上的那刻，櫃檯前的小燈也同時熄滅，星期三時間轉角處的奇蹟已經結束。

謝謝光臨，遺憾招領中心今日已打烊，下星期三午後五點整，準時開張。

一九九九年九月四日　星期四

小客車連環撞！

先衝撞路邊民宅，三死一人在加護病房

〔記者曾中晃／台北報導〕昨（三）日下午七時，台北市南港區向陽路發生小客車車禍，因為天雨路滑視線不佳，小客車疑似為閃避行人不慎撞上對向來車，接著車身失速打滑再撞向路邊民宅，造成八十一歲男性、二十六歲男性與三十三歲男性不幸喪生，五十歲男性病患仍為中度昏迷狀態，尚未脫離險境。

國家圖書館出版品預行編目資料

遺憾收納員 / 肆一作 . -- 臺北市 : 三采文化 ,
2018.06 面 ; 公分 . -- (iREAD ; 105)

ISBN 978-957-658-007-9(平裝)

855 107007161

suncolor 三采文化集團

iREAD 105

遺憾收納員

作者 | 肆一 封面繪者 | 小棋
副總編輯 | 王曉雯 執行編輯 | 徐敬雅 校對 | 陳正益
美術主編 | 藍秀婷 封面設計 | 藍秀婷 美術編輯 | 徐珮綺 內頁排版 | 徐美玲
行銷經理 | 張育珊 行銷企劃 | 王筱涵

發行人 | 張輝明 總編輯 | 曾雅青 發行所 | 三采文化股份有限公司
地址 | 台北市內湖區瑞光路 513 巷 33 號 8 樓
傳訊 | TEL:8797-1234 FAX:8797-1688 網址 | www.suncolor.com.tw
郵政劃撥 | 帳號：14319060 戶名：三采文化股份有限公司
初版發行 | 2018 年 6 月 1 日 定價 | NT$350
9 刷 | 2023 年 8 月 10 日

然而，遺憾收納員
將會溫柔收起你的遺憾。